JN046702

グレタ・トゥーンベリ

みんなで止めよう! 気候危機

(著)トレイシー・ターナー
(絵)トム・ナイト
(訳)飯野眞由美

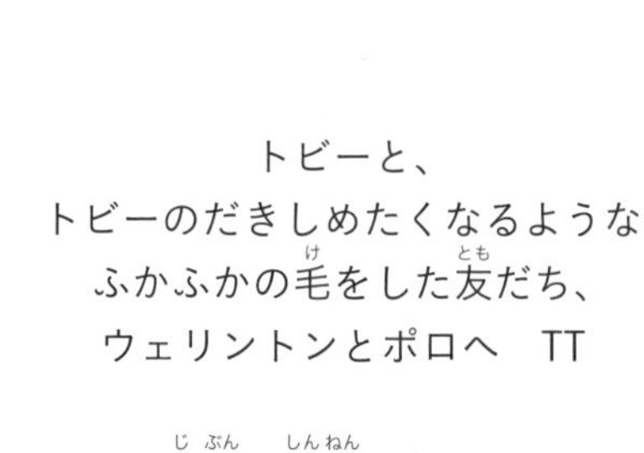

トビーと、
トビーのだきしめたくなるような
ふかふかの毛をした友だち、
ウェリントンとポロへ　TT

自分の信念のために
戦ってきたすべての人へ　TK

First Names : GRETA THUNBERG
by Tracey Turner

Published by arrangement with David Fickling Books,
an Imprint of David Fickling Books,
through Tuttle-Mori Agency, Inc., Tokyo

目次

この本で登場人物たちが話す吹き出し内の言葉や考えは、基本的に調査や資料をもとにしたものですが、なかにはグレタ・トゥーンベリやほかの重要な人たちの実際の発言や言葉が引用されている部分もあります。その部分は、次のような書体を使っています。
（例）p.22「みんなが目を覚まして、行動を変えさえすればいいだけです。」

2011年スウェーデン、ストックホルム

　グレタは学校で自分の席にすわっていた。なみだで目がチクチクする。
　教室の前にうつしだされる映像は、ますますおそろしいものになってきた。やせ細ったあわれなホッキョクグマが、氷河のかけらに乗って海を流されていく場面や、プラスチックごみのかけらでできた巨大な島が、青い海の波にプカプカういたりしずんだりしている場面。
　ビデオの説明によると、その島はメキシコと同じくらいの大きさだという。ういているごみの山が、ひとつの国と同じ大きさ？

　子どもたちは自分の目が信じられなかった。でも、ビデオが終わると、先生はすべて本当のことだといった。
「ですからみなさん、節電やリサイクルにつとめましょうね」
「ほかに何か、わたしたちにできることはないんですか？」
　前の席にいた女の子がきいた。
　先生は悲しそうに答えた。
「特にないですね。問題を解決する方法を、だれかが考えだしてくれるのを願うしかありません」
　それから先生は、世界で最も力を持っている企業、たとえば石油会社は、そもそも北極の氷をとかす原因となる化石燃料から利益を得ているので、環境のことを考えるというようなことには、まったく関心がないのだと話した。先生はさらに言葉を続けた。
「それに、科学者によって気候変動が起きていることは証明されているのに、それを信じない人たちもいます」
　グレタはあぜんとした。
　なぜ、科学を「信じない」でいられる人たちがいるの？　気候変動や公害やプラスチックごみのせいで、地球に大変なことが起きているのに、どうしてみんな、仕事や学校へ行ったり、おやつを食べたり、旅行に行ったりしていられるの？
　クラスのほかの子どもたちもみんな、グレタと同じようにショックを受けたり不安になったりしていた。
　５分間くらいは……。
　でも休み時間になると、おしゃべりしたり、ふざけたり、校庭で遊ぼうとかけだしたりしながら、教室の出口へむかっていった。

　教室を出ようとするみんなに、先生は軽い調子で声をかけた。
「ああ、ところで、来週わたしはいません。結婚式があって、ニューヨークへ行きます！」
　生徒の何人かが足を止めて、楽しそうに先生を取りかこんだ。休み中に行った、すてきな外国の話をしあっている。

グレタは信じられなかった。

みんな、今見たばかりのビデオのことを、もう忘れてしまったの？　飛行機による大気汚染が、地球の環境問題をますます悪化させることを知っているはずなのに、どうして、飛行機で世界中を飛びまわる話なんかできるの？

グレタは、クラスのほかの子たちのように、楽しそうに、おしゃべりしたり、ふざけたり、かけだしたりしなかった。いつものようにひとりでいた。どちらにしても、たいていはひとりで静かにしているのが好きだったが、今、グレタはショックを受け、不安でたまらなくなっていた。ビデオによれば、地球は大変な問題をかかえている。このおそろしい状況のことが頭からはなれなかった。

なぜ、だれも何もしようとしないの？

なみだがほおをつたいはじめた。声に出しては何もいわなかったが、固く決心した。

このことは決して忘れない。だれかが問題を解決してくれるか、気候変動が自然に解決するのを願っているだけではだめなんだ。

グレタが８歳で気候変動に関するビデオを学校で見た日から、多くのことが変わった。グレタは決心をつらぬき、本当に行動した。今や、グレタは世界的な有名人で、世界で最も影響力のある人物のひとりだ。

グレタは：

- 気候変動に関する世界的な運動を始め、数百万人をまきこみ、数千人にスピーチをした！
- 2度も、最年少ノーベル平和賞候補者となった。
- ローマ教皇や、俳優のレオナルド・ディカプリオに会い、同じく俳優で元カリフォルニア州知事のアーノルド・シュワルツェネッガーと自転車に乗って出かけた。
- とても有名なので、ファーストネームをいうだけで、みんなだれのことかわかる。
- 史上最大の気候ストライキを先導した。

気候危機とは何か、また、グレタがどのようにしてこれらのおどろくべきことをなしとげ、数百万人に影響をあたえたのかを明らかにするまえに、グレタが生まれた2003年にもどってみよう……。

1　すばらしいスタート

グレタは、気候変動に関する運動に影響をあたえるようになる前に、両親に大きな影響をあたえた。2003年にグレタが生まれたとき、母親のマレーナ・エルンマンと父親のスヴァンテ・トゥーンベリ*は、すでにかなり満ちたりた人生をすごしていた。ふたりとも仕事で成功をおさめ、お金は十分にあり、住み心地のいい家を持ち、今、子どもも生まれた。ただ、子どもは何かと手がかかるものなので、ふたりはライフスタイルをいくらか変えなければならないだろうとも思っていた。

母親のマレーナは、並はずれてすばらしい声をしていたので、スウェーデンで有名だった。子どものときは民族音楽が好きだったが、音楽学校を卒業後はジャズに転向し、その後オペラ歌手として名声を得た。オペラのスター歌手として、世界で最もすぐれた指揮者やオーケストラとも舞台に立った。アルバムもいくつか出しており、テレビに出演したり、オペレッタ『こうもり』の映像版でオルロフスキー公爵役を演じたりもした。

父親のスヴァンテは俳優一家の出身で、両親と同じ舞台の仕事を選んだ。スウェーデンで最高の劇場で演じ、テレビや映画の仕事もした。ところが、テレビの

＊スウェーデンでは夫婦の同姓・別姓の選択は自由。

コメディシリーズの仕事の申し出があったとき、理想的な仕事だったにもかかわらず、スヴァンテは断った！　マレーナが妊娠していたからだ。仕事ではマレーナのほうがスヴァンテよりはるかに成功をおさめており、ずっと多くお金をかせげることをふたりは知っていた。だから、スヴァンテが生まれてくる子どもの世話をするための時間をとろうと決心したのだ。

こうして、主に父親のスヴァンテが子どもの世話をすることになり、赤ん坊のグレタはかなりよい人生のスタートを切った。スウェーデンの首都である、美しいストックホルムの街で両親とくらした。ストックホルムは14の島からなり、メーラレン湖とバルト海が出会う場所に位置する。一家はストックホルムにアパートと、近くの島インガロに夏の別荘を持っていた。マレーナが仕事で遠くへ行かなければならないようなとき、スヴァンテとグレタは車で出かけ、ベルリン、パリ、アムステルダムなどヨーロッパのさまざまな都市に続けて２か月も定住した。

2005年にマレーナがふたり目の娘ベアタを産み、グレタに小さな妹ができると、状況はますますよくなった。娘たちが小さいとき、マレーナのリハーサルのスケジュールが許すかぎり、４人の家族はそろって楽しく旅行したり、公園や動物園に行ったり、家でいっしょに遊んだりした。

ソング・コンテスト

2009年、グレタが6歳のとき、母のマレーナは、スウェーデンで最も人気のあるテレビ番組メロディーフェスティバーレンにエントリーした。これは、欧州放送連合加盟放送局によって開催される毎年恒例の音楽コンテスト、ユーロビジョン・ソング・コンテストの予選でもある。マレーナはエントリーする前に、オペラですでに有名になっていたが、コンテストのおかげでいっそう有名になった。マレーナは優勝し、その年のユーロビジョン・ソング・コンテストに国の代表として出場する名誉を得た。

マレーナはいそがしいオペラのスケジュールを中断して、モスクワで開催されるユーロビジョン・ソング・コンテストに参加した。スウェーデン代表として、世界中の1億2200万人の聴衆のためにフランス語と英語でうたった（2か国語の歌詞を書くのをマレーナ自身も手伝っていた）。白いロングドレスを着たマレーナは、息をのむほど美しかった。

それなのに、マレーナはユーロビジョン・ソング・コンテストで勝利をおさめることはできなかった。結果は、残念ながら25名中21番だった。マレーナは、このソング・コンテストと同時期にモスクワで起きていたLGBTの抗議デモを支持するツイートを発信したことが、この結果と何か関係があるのではないかと考えている。プライド・パレード*はロシア政

＊プライド・パレード……レズビアン・ゲイ・バイセクシュアル・トランスジェンダー・クエスチョニング（LGBTQ）文化を讃えるセクシュアル・マイノリティ（性的少数者）のパレード。

府によって禁止されていたため、マレーナは激怒して、LGBTの抗議デモを支持するツイートを発信したのだ。ソーシャルメディアでこの抗議デモを支持した出場者は、ほかにはスペイン代表ひとりだけだった。そして、そのスペイン代表は24位だった！　マレーナはこの残念な順位を気にしていたかもしれないが、そんなようすはまったく見せなかった。それでも、スウェーデンのスヴェンスクトッペン・ラジオでマレーナの歌がヒットチャート第1位になったときには、きっといくらか気が晴れたことだろう。

マレーナは、もうまちがいなく有名人だが、プレミアショー*や豪華なパーティーに行くようなタイプではない。ショーが終わると、たいていは急いで家へ帰る。家族が大切というだけではなく、かなり内気な性格だからだ。舞台の上でうたうのは問題ないが、社交的な場はあまり得意ではなかった。

高い望み

グレタが世界を変えるような気候活動家になる前から、マレーナとスヴァンテも環境問題に関心があった。ふたりが正しいことをしたいと思っていたのはたしかだ。それでも、たいていの人と同じように、基本的には政府が気候危機をコントロールしているから、一般の人がそれほど心配する必要はないと考えていた。ただ、ごみをリサイクルし、できるだけ使いすてのプラスチックは使わないようにした。

つまり、世界の豊かな国に住むほとんどの人と同じだった。気がつくかぎり、できるだけ環境のためになることをしようとした。だが、ふだんはそれほど深く気にしていなかった。

2000年から2014年のあいだ、母マレーナは多くの国、特にベルギー、フランス、イギリス、ドイツ、スペイン、日本、アメリカへよく飛行機で行き、オペラやコンサートを開いたり、テレビに出演したりした。それは、とても魅力的な生活で、家族がいっしょのときには、いっそう楽しかった。だが、グレタのために、母親であるマレーナのキャリアが変わろうとしていた。

＊プレミアショー…映画で、封切り前に有料で見せる試写会。映画・演劇などの特別興行。

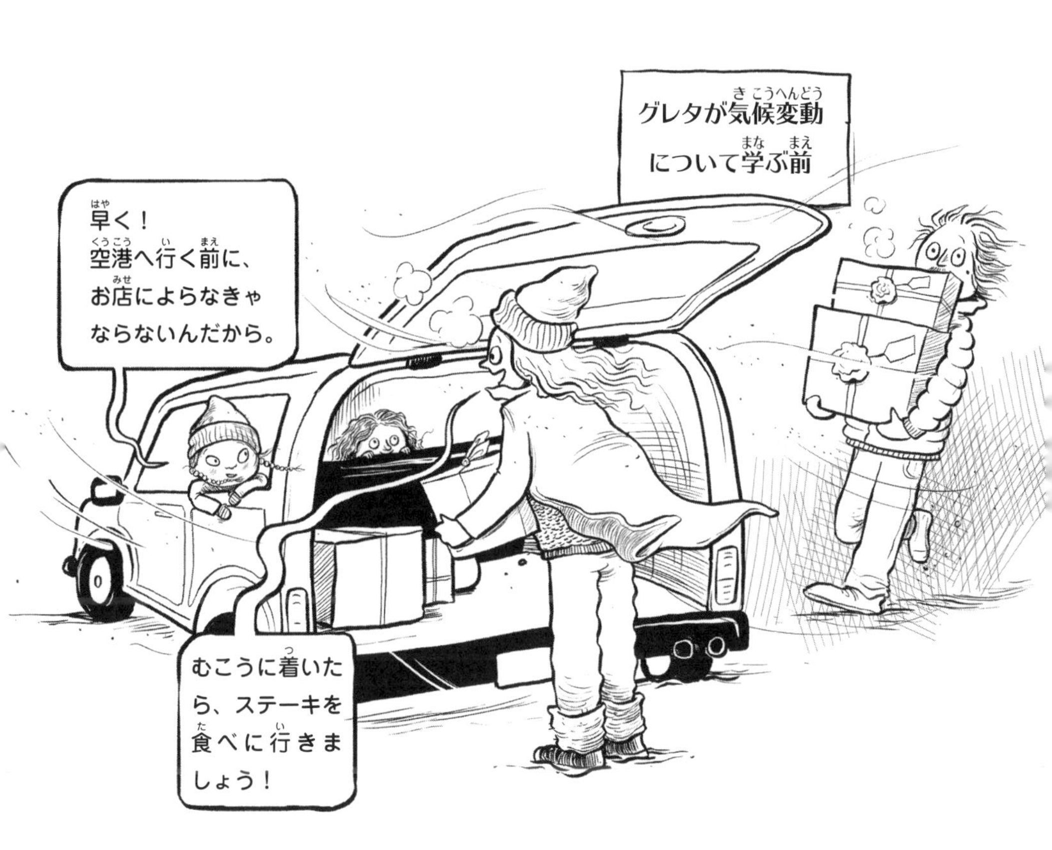

グレタもベアタも非常にかしこかった。ベアタは母親のように音楽の才能に恵まれ、うたったりおどったりしているときが一番幸せだった（特に、ベアタが大好きなバンド、リトル・ミックスに合わせてうたったりおどったりしているときが）。

また、グレタは写真のような記憶力を持ち、何かを一度見ただけで、おぼえようと努力しなくても頭の中に情報をたもっていられた。たとえば、世界中の首都の名前をすべていえた。さかさまからでも！

それほどの記憶力があれば、学校の成績がいいのもうなずけるだろう。だが、グレタはいつも学校が楽しかったわけではない。少しほかの子どもたちとちがっていたので、友だちをつくるのがとてもむずかしかった。それが、ひとりでいることが多かった理由のひとつだ。

授業でグレタは、電気と水を節約するために、必ず電気を消し、歯をみがくときに水を出しっぱなしにしてはいけないと教わった。その際に、気候変動の話も教わったが、本当のこととは思えなかった。

もし本当なら、世界中のすべての人がそのことばかり話題にして、ほとんどいつも、それをなんとかしようとしているはず……と思ったからだ。

先生がプラスチックの島とホッキョクグマのビデオを見せてくれたその日、グレタはようやく本当のことを知った。

気候変動は本当に起きている。なのに、だれもたいして心配していないみたい。どうして？

どうしたらよいかきいても、みんな先生と同じように、悲しそうに首をふるか、まめに電気を消したり水道を止めたりするようにいうか、「あなたたちの時代には、地球を救う方法が見つかるでしょう」と、責任を子どもたちにおしつけるかだった。

グレタは気候変動のことでひどく心を悩ませるようになった。状況がどれほどひどいのかに気づいてしまったら、もう知らないふりをすることも、今までどおりにくらしていくこともできなかった。

そこでグレタは、この問題のことをよく知るために、自分のすばらしい能力と知性を使うことにした。

2　気候変動の専門家になる

グレタは気候変動に関するものを、手に入れられるかぎりすべて、読んだり見たり学んだりしはじめた。

グレタはまもなく気候変動の専門家になった。

気候変動について

植物のために温度を一定にたもつ温室のガラスのように、地球の大気には熱をたもつ働きをする気体がある。「温室効果ガス」とよばれるこの気体がなければ、人間は生きていけない。二酸化炭素（CO_2）やメタンガスをふくむ「温室効果ガス」のおかげで、地球は人間が生きていける気温にたもたれているのだ。

でも、大気中の温室効果ガスがふえると、地球はどんどん暑くなる。

温室効果

太陽からのエネルギーが地球をあたため、地球の表面に吸収される。

だが、地球は太陽からのエネルギーの一部を宇宙空間に放出している。

温室効果ガスは太陽からのエネルギーを吸収するので、宇宙空間に放出されるエネルギーがへり、地球の表面を毛布のようにおおって、よりあたたかくする。

これまでも、地球の気候は時間とともに自然に変化してきた。しかし、この200年間で、明らかに不自然なほど急激に気温が上昇している。

気候科学者たちはCO_2がどれだけ増加したかを明らかにするために、今日のCO_2レベルを、産業革命以前のCO_2レベル、すなわち、1850年から1900年までの大気中のCO_2レベルとくらべている。

わたしたちが車を動かしたり、家や工場をあたためたり、電気を供給したり、明かりをつけたりするのに使う、ガス、石油、石炭は、すべて化石燃料だ。

数百万年前に生きていた動植物が死ぬ。

やがて、それが堆積物におおわれる。

何億年という時をかけて、わたしたちが今日使っているような化石燃料の形になる。

今日では、ほぼすべての人が常にエネルギーを使用しているが、おどろくべきことに、そのエネルギー源の84%がいまだに化石燃料なのだ。

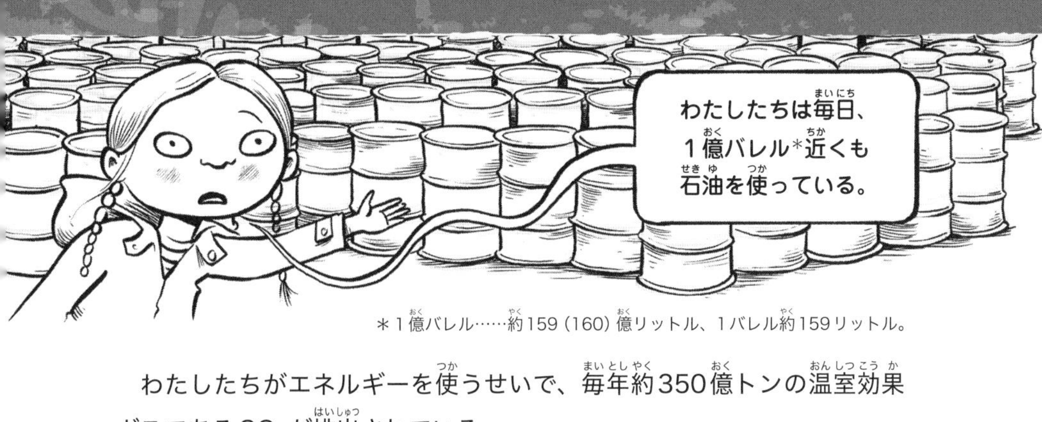

＊1億バレル……約159（160）億リットル、1バレル約159リットル。

わたしたちがエネルギーを使うせいで、毎年約350億トンの温室効果ガスであるCO_2が排出されている。

人間がつくりだすこのCO_2の半分は、地球の植物や海に吸収される。残りは、もともとあった自然発生のCO_2とともに、地球の大気中をただよう。

CO_2は、すぐに消えてなくなるということはない。
大気中に何百年も、ときには何千年も、とどまり続けるんだから！

産業革命以前（1850年～1900年）のCO_2レベルとくらべると、大気中にある、よぶんな温室効果ガスは地球の平均気温を約1℃上昇させた。1℃というのはたいしたちがいではないように聞こえるが、気温の上昇がもたらした結果はすでにあらわれている。その結果とは：

- **氷河や海の氷がとけることによる、海面上昇。**
- **動植物の絶滅。**
- **森林火災、洪水、干ばつ、ハリケーンや竜巻のような異常気象による自然災害。**

気候変動の上昇がもたらす結果はおそろしいものだ。だが、解決策はある。化石燃料を燃やすのをやめ、大気中の温室効果ガスをふやさないようにすれば、地球温暖化を止め、最悪の事態をさけることができる。

だが、残念ながらライフスタイルを変えるのは、簡単なことではない！

グレタのかしこい親戚

今日では、気候変動を研究している科学者はたくさんいる。だが、まさに最初に研究を始めた科学者のひとりが、グレタの親族だというのは奇妙な偶然だ。グレタの父親スヴァンテの名前は、ずっと前に死んだ遠い親戚、科学者で1903年にノーベル化学賞を受賞したスヴァンテ・アレニウスからつけられた。

アレニウスは、温暖化に関する発見によっても広く知られている。初めて温室効果ガスを確認した科学者のひとりであるジョン・ティンダルの業績をさらに研究して、化石燃料を燃やすと気温を上昇させるという独自の計算式を導きだしたのだ。1896年、二酸化炭素濃度の増加に応じた地球表面の温度変化を計算して、化石燃料の燃焼をふくむ人間の活動は、地球温暖化を引きおこすのに十分な二酸化炭素を発生させたと結論づけた。

大気中のCO_2レベルが上がると、地球の表面温度を上昇させるのだよ。

アレニウスはすでにそのとき、産業界が化石燃料を使うことによって大気中の温室効果ガスを増加させていることと、その結果、世界が前より暑くなってきていることに気づいていた。1896年に、そのことに関する、右のような的確なタイトルの論文を発表している。

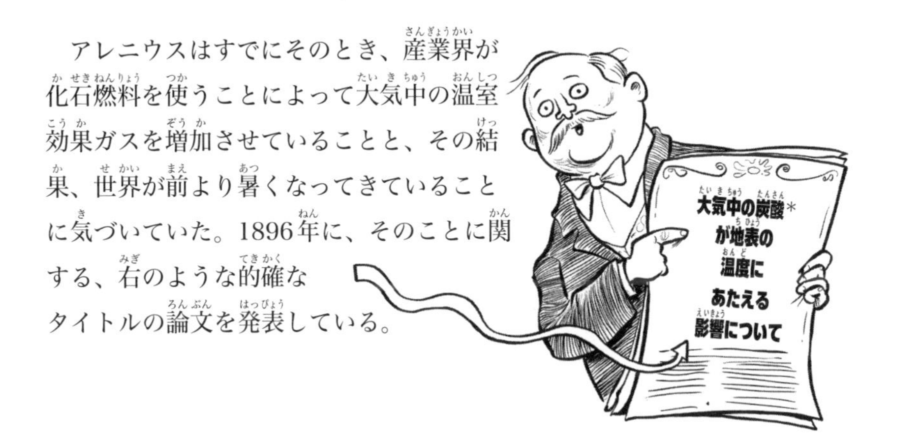

＊当時の人たちは二酸化炭素のことを炭酸とよんでいた（今日とは少し意味合いがちがう）。

しかし、これは車や飛行機が温暖化に影響をあたえる前のことだった。アレニウスがこの論文を書いたときは、温暖化の主な原因は石炭だった。

アレニウスは次のように推定した。

アレニウスは、スウェーデンにおける気温の上昇は、国にとってすばらしいことだと考えていた！

また、大気中の二酸化炭素が今日のレベルに達するには、2000年かかるだろうと見積もってもいた。なぜなら、今日わたしたちが燃やしている化石燃料の量は、100年前の科学者にはまったく想像もつかないほどの量だからだ。

おどろくべきことに、二酸化炭素の量と関連して気温がどれだけ上昇するかをあらわしたアレニウスの式は、気候科学者たちによって現在も使われている。

だから、グレタのかしこい親戚に、何度でも大きな拍手をささげよう。

残念ながら、当時はアレニウスの発見に真剣に耳をかたむけるものはいなかった。そのころは、アレニウスと同じように、だれもが心配するほどのことではないと考えていたのだろう。

時がたつにつれて、車、飛行機、工場、家庭、発電所などからますます多くの二酸化炭素が排出されるようになり、地球はスヴァンテ・アレニウスが予言したとおり、しだいに気温が上昇してきた。そして、1970年代、人々が温室効果ガスの影響と温室効果ガスの増加を心配するようになって、ようやくアレニウスの式がふたたび注目をあびるようになった。

気候変動に対して何かしてきた人はいるのか？

グレタはおそろしい事実を知って、がくぜんとした。そして、地球温暖化があたえる悪影響は、少なくとも30年前にはわかっていたのに、そのあいだ、政府は何もしなかったことに、怒りがわいてきた。

20世紀気候変動年表

20世紀になると、気候変動に対して何かするべきだと考える人があらわれはじめた。

1956年－ニューヨーク・タイムズに「地球の温暖化は大気中の二酸化炭素のせいかもしれない。」という記事が掲載された。だが、石炭と石油は多量にあって安価なため、この問題に対処するのはむずかしいだろうと論じた。

1979年－ジュネーブで最初の世界気候会議が開かれ、二酸化炭素排出量をへらす必要があると科学者が主張した。その後、気候変動に関する政府間パネル（IPCC）が設立された。しかし、各国政府は関心を示さなかった。

そうして、CO_2排出量がどんどんふえるままにしていたんだよ。

1988年－干ばつ、森林火災、記録的暑さが生じた結果、温室効果ガスが新聞に大きく取りあげられるようになった。科学者は地球温暖化がどれほど進みそうかを判断し、警告を発した：

気候科学者ジェームズ・ハンセンがアメリカ合衆国議会で、地球温暖化は二酸化炭素やその他の温室効果ガスによって生じていることは99%まちがいないと述べた。

1992年—国際連合がブラジルのリオ・デ・ジャネイロで環境をテーマにした会議を開催した。この「地球サミット」はそれまでで最大の環境会議となった。117名の国家元首をふくむ、3万以上の人が参加した（これほど多くの国家元首が集まった会議はかつてなかった）。全部で178か国の代表が出席した。そしてもちろん、これが大きな変化をもたらすことになった！

地球サミット、最年少の代表者

リオ・デ・ジャネイロから1万1千km以上離れたカナダのバンクーバーでは、4人の子どもたちが環境団体を設立していた。そして、地球サミットのことをきくと、代表をひとり派遣しようと決め、自分達で資金を集めた。セヴァン・カリス＝スズキが地球サミットに参加して、多くの聴衆の前でスピーチを行った。そのとき、セヴァンはたった12歳だった！

グレタのように、セヴァンは子どもたちと次の世代のために語り、環境、動植物の絶滅、環境汚染、温室効果ガスに対して、おとなは何もしていないと非難した。

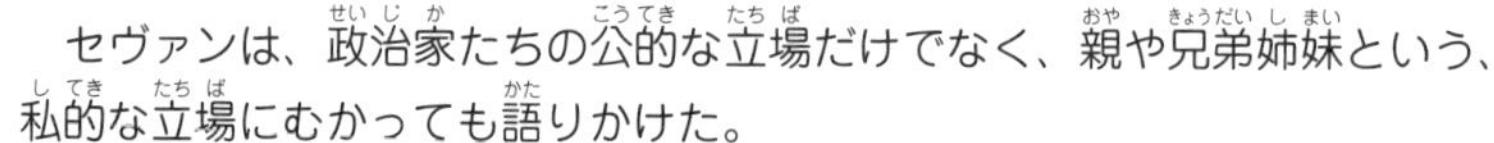

セヴァンは、政治家たちの公的な立場だけでなく、親や兄弟姉妹という、私的な立場にむかっても語りかけた。

会議に出席した代表たちはとても感動した。このスピーチは今でもオンラインで見ることができる。1990年代のこのときにソーシャルメディアが存在していたら、セヴァンもグレタのように有名になっていただろうし、かなり大きな影響をあたえられただろう。だが、30年前のこのスピーチのあとも、二酸化炭素排出量は上昇しつづけるばかりで、セヴァンは環境運動をやめられずにいる。

大気中の二酸化炭素レベルの上昇を研究しているノルウェーの科学者グレン・ピーターズは、2019年にきびしい事実を発見した。それは、1870年から現在までの二酸化炭素上昇の半分は、わずかこの30年間の人間の活動による排出のせいだということだ。

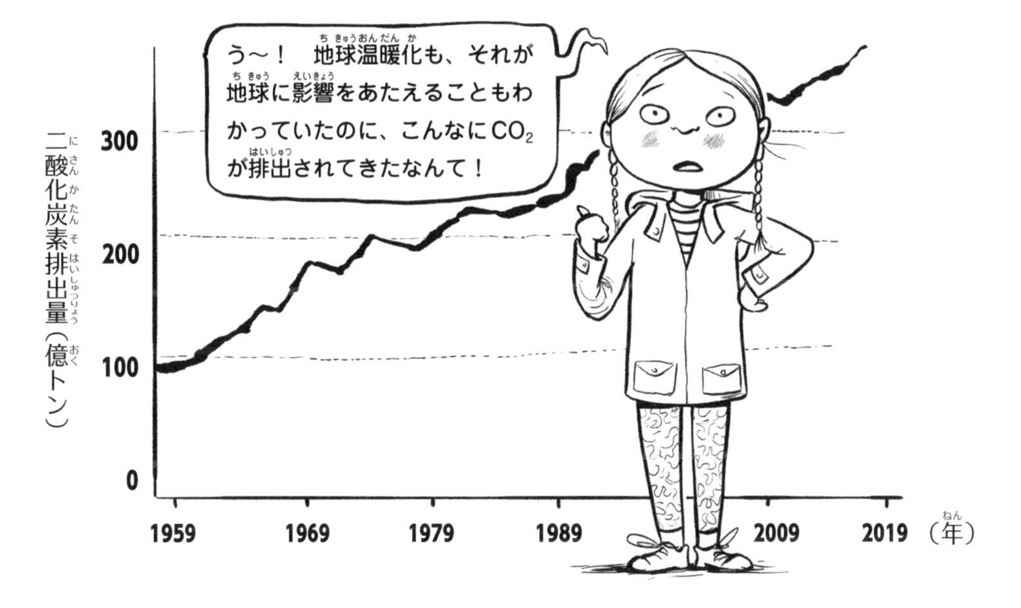

そして、だれも未来のために必要な変革を起こさなかったし、今もしていない。それはなぜだろう？主な問題はお金だ。ばくだいな額のお金が関わっているのだ。

石油会社は、変化を起こさないことで明らかに利益を得ている。すべての人にガソリン車を運転しつづけてもらいたいし、石油を使った火力発電所から電気をつくりつづけてほしいのだ。そうでないと、商売が成りたたない。そうなったら、そのとほうもない巨額の現金をどこから手にいれたらいいというのか？

ハンバーガーチェーン店は、二酸化炭素を吸収してくれる熱帯雨林の木々をよろこんで伐採し、ハンバーガーにするための牛たちの放牧場にしている。それが最も安く肉を得る方法だからだ。そうして、ものすごい額のお金をかせぎつづけたいのだ。

気候変動を止めるために何もしたくない企業は、気候変動は事実ではないといううわさを流し、多くの時間をかけて、政府を説得して、自分たちの事業を続けられるようにしている。これらの企業は実にうまくやっている。実際、状況はどのくらい深刻なのか？　なぜ、政府は再生可能エネルギーに投資をせず、石炭や石油による発電所にお金を使いつづけるのか？こうしたことを、多くの人が疑問に思わないのは、これらの企業のせいでもある。

何もしないでいることのおそろしい結果

下記は、地球温暖化が続き、今行動しなければ、（すでに起きていることに加えて）起こりうる、大変なできごとのほんの数例だ：

- 次の20年から40年で、気温が上昇し、夏には北極に氷が全くなくなる可能性がある。そして、氷がとけることによって、海面がさらにいっそう上昇するだろう。
- 海面が上昇すると、低地に住む人々は洪水におそわれ、今住んでいる場所を出ていかなくてはならなくなる。つまり、気候変動のせいで、故郷を出てほかの国へ避難しなければならない人がどんどんふえる。
- 気候変動のせいで生息場所が変化したり失われたりして、ますます多くの動植物が絶滅する。

- 高い水温の中では生きていけないので、海の中のサンゴ礁が死にたえる可能性がある。
- 二酸化炭素を吸収してくれているアマゾンの木が枯れる。または、気温上昇によって引きおこされる森林火災で燃える。そうして、温暖化の速度が増すだろう。そうなったら、元にはもどれなくなる。

グレタはまだ子どものときに、これらのことを読んで理解し、大変なショックを受けた。11歳で、グレタはひどいうつ状態になった。

3　グレタ、じょじょに回復する

グレタが絶望的な気分になったのも無理はなかった。状況はかなり悲惨だった。それは今も変わっていない。人々が飛行機で出かけたり、車を運転したりするのをやめることはなさそうだし、工場がひと晩でとじられることもないだろう。だが、希望を持てる情報もあった。まだ、手を打つ時間があったし、今もまだある。

初めのうち、グレタは自分に何ができるのかわからなかった。何か役にたつことを少しでもしたかったが、グレタはとても小さなひとりの人間にすぎなかったからだ。

とても小さなひとりの人間に、いったい何ができるだろう？

うつ病のせいで、グレタはよく泣いた。あまりねむれなくなり、そのせいで、ますます暗い気分になった。それまで楽しんでいた、ピアノをひいたり、自転車に乗ったりということもしなくなった。それまでも物静かだったが、ますます口数が少なくなった。２か月で10kgもやせたときがあった。

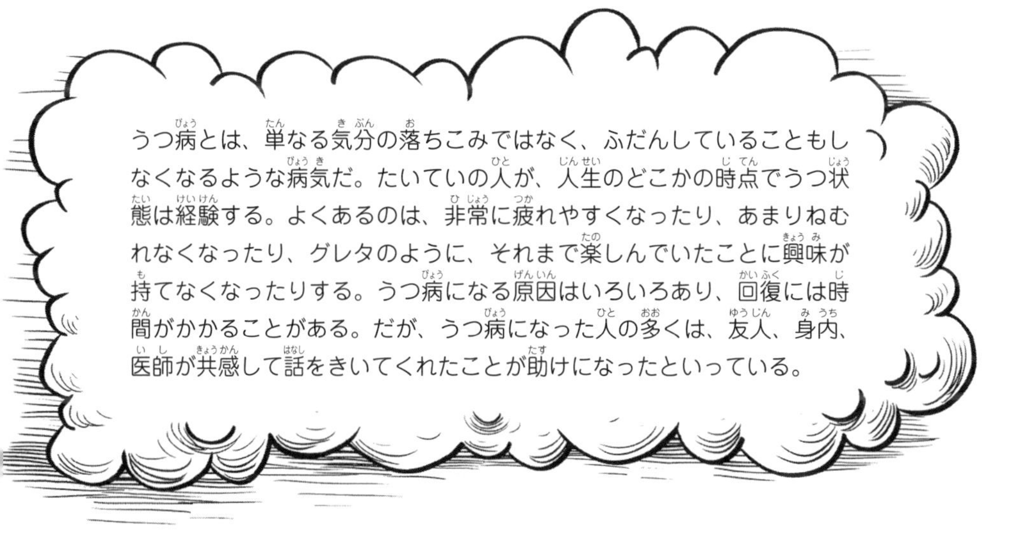

つらい学校生活

残念なことに、グレタには自分の気持ちを話せる友人が学校にいなかった。そして、学校でもよく泣き、しゃべることも食べることもしなかった。先生たちは心配したが、どうしたらよいかわからなかったので、グレタの父親に電話をして、グレタを家に連れてかえってほしいと求めるようになった。

少なくとも家では、グレタはすわって家の飼い犬をだきしめることができた。ゴールデンレトリバーのモーゼスは、一家のとても大切な家族で、いつもグレタの心を大いになぐさめてくれた。

その後、グレタが15歳になった2018年に、家族がもうひとりふえた。救助犬ブラックラブラドールのロクシーだ。

グレタのように、内気で物静かで友だちをつくるのが苦手な人にとっては、学校はいごこちが悪い場所なので、たよりになるふかふかした毛の友だちがいることはこの上もなくうれしいことだろう。

だが、モーゼスをだきしめても、状況は少しもよくならなかった。やがて、グレタは両親と妹のベアタとしか話さなくなった。ほとんど何も食べなくなり、ある日の朝食では、バナナを３分の１食べるのがやっとだった。しかも、それだけ食べるのに53分もかかったのだ。

グレタは、気候変動や地球に悪い影響をあたえるもののことを、考えずにはいられなかった。自分と同じ年代の子どもたちに未来はあるのかさえ疑わしいと思った。ほとんどしゃべらず、不安や絶望を自分の中にためこんでいた。モーゼスは変わらずとてもなぐさめになったが、しょせん犬なので、気候変動についての話ではあまり役にたたなかった。

学校に通う日々の中で、グレタにはもうひとつ、つらいことがあった。いじめだ。

ほかの生徒たちは、グレタを無視したりさけたりした。指をさして、笑うことさえあった。校庭でつきとばしたり、悪口をいったりもした。グレタはできるかぎり、図書館に避難したり、トイレにかくれたりした。完全にひとりぼっちだった。グレタをかばってくれるものはいなかった。

グレタは親にもいじめのことはいわなかった。学校でのひどい状況にひとりでたえていた。つらい気持ちをだれにも話さなかったせいで、事態はいっそう悪くなっていったにちがいない。グレタはどうしても、信用できる人に打ちあける必要があった。

ある日の夕方、父スヴァンテがクリスマスのお祝いのためにグレタの学校へきた。

グレタとろうかを歩いていると、信じられないことが起きた。ほかの子どもたちが、グレタを指さして笑ったのだ！　父親がいっしょに歩いているというのに、自分たちのしていることをかくそうともしない。

クリスマスの休みのあいだに、グレタはようやく学校で起きていることを両親に話した。ふたりは、あまりのことに体がふるえた。

父スヴァンテと母マレーナは、学校側がこのことをどう思っているのかききにいった。どんな理由があろうと、いじめはまちがいなく害のある行為であり、いじめによって受けた心の傷は一生残ることもある。

しかし、学校側の反応はグレタの両親が望んだものではなかった。先生たちは、いじめのことは知っていたとすんなり認めた。だがそれは、グレタがあいさつをしなかったり、おかしなふるまいをしたり、ほかの子とちがって目立つせいだと考えていた。

つまり、いじめられるグレタのほうが悪いというのだ！

グレタの両親はこれをきいて、何度も大きなため息をついた。ふたりの、かしこくて、おもしろくて、すばらしい娘が、通っている学校で毎日いじめを受けており、しかも、守るべきおとなたちは、そのことを基本的に問題ないと考えているのだ。

マレーナとスヴァンテはスウェーデンの学校監督庁へ報告して、グレタは学校へ行くのをやめた。それでも、グレタはあるひとりの親切な先生とは連絡を取りつづけていた。その先生は、自分のあいている時間を使って、グレタに図書室で秘密の授業をしてくれたのだ。家族としか話ができなくなっていたグレタだが、ありがたいことに、その先生とも話すことができるようになった。

グレタは最終的には別の学校へ行くことになるのだが、しばらくのあいだは家にいた。父スヴァンテと母マレーナは心配でとりみだしていた。グレタはまだ、アボカドやごはんやニョッキ*をほんの少し食べるだけだった。グレタは拒食症*かもしれないとふたりは思った。

ほとんどものを食べなくなったため、グレタはかなり危険な状態になった。だが、食べられるようにならないなら、入院して点滴を受けなければならないと医者からいわれると、グレタはたいへんな努力した。食べられるものをふやし、パンケーキも食べるようになった。まだ少ししか食べなかったが、必要な量をとれるようにはなった。

夏の別荘のお客さま

グレタの両親はいつも、できるだけチャリティ活動をしてきた。そして、難民のことで心をいためていた。

2011年にシリアで、独裁政権をたおそうと抗議運動が起こり、はげしい内戦が起こった（そして、今も続いている）。爆弾、銃、化学兵器で何万もの人が殺された。あまりにも悲惨な状況のため、シリアの人々は、殺されるのをただ待っているよりは、困難や危険をおかしても国外へ逃げようと決心した。

内戦のせいで、約660万人のシリア人が国を去った（国連難民高等弁務官事務所、2019年末）。

グレタの一家はシリアで起きている、いたましいニュースを読み、力になりたいと思った。マレーナは以前も、難民を援助したいと申しでていたが、今回はスウェーデン政府に、国をのがれたシリア人を支援をするよう要求した。そして、自分の時間とお金をさしだす準備をしていた。

ところが、グレタと妹のベアタは両親に、もっと進んだ提案をした。別荘に難民を受けいれようといったのだ。

そうして、ダマスカスから逃げてきたシリア人の一家が、インガロ島に引っ越してくることになった。グレタの一家はバスの乗車券や食料の手配をして助けた。

＊ニョッキ……イタリア料理でジャガイモのパスタ。
＊拒食症……太っていないのに太っていると思いこんで食べなくなる病気。

シリア人の一家は1年間その夏の別荘ですごし、ふたつの家族はとてもなかよくなった。週末はよくいっしょにすごし、シリア人の家族はみんなにおいしい夕食をつくってくれた。

いくつかの大きな変化

グレタは地球温暖化を悪化させないための対策をとりはじめた。最も大きな変化のひとつは、肉を食べるのをやめたことだ。それから、乳製品やほかの動物性食品も食べなくなった。

グレタはこれまでもあまり食べてこなかったので、さらに食べるものを制限することは、かなり問題があるのではないかと思うかもしれない。だが、栄養のあるものを、十分食べているかぎり、ビーガン*になることは問題なかった。

＊ビーガン……卵や乳製品をふくむ、動物性食品をいっさい口にしない完全菜食主義者。

地球を守るために食事を変えることについて

気候変動に関する政府間パネル（IPCC）の報告によると、人々が肉（特に牛肉と羊の肉）と乳製品を食べるのをへらせば、そのために使う土地がへるので、世界中のもっと多くの人が食料を得られるようになるという。

肉と乳製品の生産は地球温暖化の原因になる。牛や羊のように草を食べる動物は、食べたものを消化するのがとても大変なのだ。そのため、ひっきりなしに、げっぷやおならをしてメタンガスを放出する。

メタンガスは温室効果ガスのひとつで、二酸化炭素よりずっと地球温暖化を進める。毎年、世界の温室効果ガスの約14.5％が家畜から排出されている。

豊かな国では、必要以上に大量の肉が食べられている！　巨大な需要を満たすために、多くの場所で、動物や鳥や虫のすみかであった自然林が切りひらかれ、広大な家畜農場がつくられている。

さらに、牛、羊、ブタ、ニワトリのえさにする大豆を育てるために、しばしば木が切りたおされている。木は二酸化炭素を吸収してくれるので、わたしたちには多くの木が必要だというのに。

世界中で牛や羊の数をへらしていけば、木やほかの植物を育てるための土地をもっとふやすことができる。

肉の生産には大量の資源も使われる。ある見積もりでは、皿にのせた１枚のビーフステーキを得るためだけに、バスタブ50杯分もの水が必要だという！

両親に教える

グレタは、ほかの人には話さなかったけれど、家族には気候危機と環境問題について多くのことを話した。よい親ならそうするように、母マレーナと父スヴァンテは、心配することはない、何もかもうまくいくといった。ふたりはグレタを安心させようとしていたのだが、グレタはふたりが完全にまちがっていることを知っていた。

だれも何もしないでいて、何もかもうまくいくなんてありえない。

だからグレタは、何もしないでいたら、地球はたいへんなことになるのだということを、両親にわかってもらう活動を始めた。ふたりが気候変動の速度についていけるように、おりにふれて、いろいろなことを教えた。

グレタはあきらめなかった。そして、グレタの話し方にはとても説得力があったので、両親と妹のベアタは真剣に耳をかたむけるようになった。今では、母マレーナ以外、家族全員がビーガンになった。マレーナは努力している最中だ。やがて、家族全員が気候変動の専門家になった（ただし、犬をのぞいて）。気候変動についての情報を得ると、グレタの家族は、本気でライフスタイルを変えなければならないと思うようになった。

たくさん買うのをやめる

- グレタの家では、すぐに新しい服を買わなくなった。今、人々はかつてなかったほど、多くの服を買ってはすぐに手放している。おどろくべきことに、衣料品の85%が毎年すてられているという。

- 世界中の衣料品製造工場で、山ほどの電力と水が使われている。布をそめる化学薬品が海や川をよごす大きな原因となり、ごみ捨て場にうめられた衣料品が分解されるのには非常に長い時間がかかる。

- 何かがつくられると、ほぼ必ず温室効果ガスが大気中に排出される。たとえば、新しい自転車をつくるとき、金属をほりだすのにも、自転車を製造するのにもエネルギーが必要であり、完成した自転車を運ぶのにもエネルギーが必要だ。そして、エネルギーをつくるためには、大量の化石燃料が使われ、大量の二酸化炭素が排出される。

だからグレタの家では、持っている古いものを大切にして、できるだけ長く使おうと決めた。どうしても何か新しいものを買わなければならない場合には、長持ちするように、手のとどく範囲で最もよいものを買った。だが、絶対に必要なものではなくても、買わずにはいられないことだってある！　ところが、家族のだれかが何か新しいものを買って、こっそり持ちかえろうとすると、どういうわけか、グレタはいつも気がつくのだ。

豊かな国ではたいてい、自国では処理しきれないほどのごみを出している。そのため、ごみの処理とリサイクルをほかの国に依頼している。

毎日、イギリスの家庭からは1.1kgのごみが、アメリカの家庭からはその２倍近いごみが出ている。このごみのうち、イギリスでは45％が、アメリカでは35％がリサイクル用のごみ箱に入れられる。だが、どちらの国でも、そのごみが燃やされたり、すてられたりしていることがあるのだ！

ほとんどのプラスチックはリサイクルできるが、その多くがリサイクルされていない。費用がかかり、複雑な処理が必要だからだ。

リサイクルしているはずの国で、リサイクル用のごみが燃やされていることがある。量が多すぎて国内で処理しきれなかったり、処理に費用がかかりすぎたりするためだ。リサイクルをほかの国に依頼することもあるが、それでも、最終的には燃やして処分している。

ごみからはメタンガスが発生したり、有害な化学物質がもれでたりするので、燃やすほうが、ごみ捨て場や埋立地にすてるよりいいように思えるかもしれない。だが、燃やすことも、環境に悪い物質を大気中に放出することになる。

また、リサイクルの方法（集めて、洗って、くだいて、ふたたびとかすなど）は、どれも環境に悪影響をあたえる。

わたしたちにできること

何度も使えるカップやボトルを持ちあるき、ごみをゼロにしようとしている店で買う。長く使える金属の入れ物や再利用できるグラスをつくっている企業をさがす。

電気自動車に切りかえる

グレタ一家は、買うものをへらすだけでなく、大気汚染の原因となるガソリンを大量に消費する車を処分して、電気自動車に切りかえた。それでも、その車に必要な電力は化石燃料からつくられたものかもしれないので、どうしても必要なときしか車を使わなかった。そして、(温室効果ガス排出を0にできるように) なるべく歩くか自転車を使うかした。

もう、飛行機には乗らない

飛行機が地球によくないことはまちがいない。1㎞進むごとに排出する温室効果ガスは、ほかのどの輸送手段より多い。だが、それよりもっと悪いのは、飛行機のエンジンが排出するのは、二酸化炭素だけではないことだ。：

- **水蒸気（これも温室効果ガス）と**
- **すす（大気汚染の原因となる細かい炭素のつぶ）も排出する。**

水蒸気とすすは、飛行機が飛んだ跡を空に残すことがある。これは温室効果ガスをふやすと考えられている。つまり、飛行機が気候にあたえる影響は、二酸化炭素排出（そもそも、これだけでも十分悪いのに）だけでなく、その2倍以上になると科学者は考えている。

グレタの母マレーナは、まちがいなく飛行機に乗ることをうしろめたく感じていた。そして、事実とむきあい、大成功をおさめてきたキャリアをあきらめることになろうとも、飛行機に乗ることをきっぱりやめることにした。2014年に最後のオペラをうたったあと、ミュージカルに出演するようになった。ミュージカルなら地元にいられるので、世界中をまわるために飛行機に乗る必要がないからだ。

その一方、妹のベアタはつらい状況にいたため、特別に、父スヴァンテがベアタをイタリアのサルデーニャ島へ連れていって休暇をすごした。グレタはよく思わなかった……

カーボン・フットプリントについて

カーボン・フットプリントとは、「炭素の足跡」という意味で、わたしたちの活動から、毎年大気中に排出される二酸化炭素の量のことだ。世界中のすべての人がカーボン・フットプリントを残している。

イベント、企業、製品など、どんなものにもカーボン・フットプリントが残る。

ひとりあたりのカーボン・フットプリントは国によって大きく異なる。カーボン・フットプリントには、人がどのくらいものを買い、食べ、ごみを出すかや、エネルギーの使用量と、そのエネルギーがどこから生みだされたものかもふくまれる。たとえば、ヨーロッパで使用するエネルギーは、アメリカより再生可能エネルギーが多い。世界全体では、ひとりあたりの平均カーボン・フットプリントは4.8トンだ。ただし：

- **オーストラリア、アメリカ、カナダの人は、年に平均15トン以上のカーボン・フットプリントを排出している（世界の平均二酸化炭素排出量の約3倍だ！）。**
- **アフリカのチャドやナイジェリアの人が排出するカーボン・フットプリントは、年に平均たった0.1トンだ。**
- **オーストラリアの人ひとりが排出するカーボン・フットプリントは、チャドやナイジェリアの約154人分のカーボン・フットプリントに相当する！**

わたしたちにできること

自分のカーボン・フットプリントを計算できるcarbonfootprint.com＊のようなサイトにアクセスする。それから、その数値を下げるよう努力する。たとえば、車での移動をへらし、飛行機に乗るのをやめ、できるだけ自転車を使うか、公共交通機関を利用する。また、どんなものもむだにせず、古着を買うようにする。

スヴァンテはグレタの主張する事実に反論できなかった。両親はふたりとも、気候危機は、飛行機で移動することより重要な問題で、今まで以上にくらし方を変えなくてはならないと気づいていた。また、グレタにとって、この問題がどれほど大事なことなのかもわかっていた。飛行機に乗らないことは地球を守るだけでなく、娘のグレタをも守ることだった。

家族に話をきいてもらえて、事実に気がついてもらえたことから、グレタは自分にも何かを変える力があると思えるようになった。そして、それをきっかけに、病気もよくなってきた。また、ほとんどの人がくらし方を変えないのは、気候変動のことを気にかけていない、あるいは、ひどい人間だからなのではないこともわかってきた。グレタの家族と同じように、気候危機がどれほど深刻なのかを知らないだけなのだ。

家族に気候変動のことを理解してもらえたのだから、ほかの人たちの考えも変えることができるかもしれない。

だが、グレタの一家とわたしたちみんなにとって残念なことに、一般の人がライフスタイルを変えるだけでは、問題は解決できない。変わらなければならないのは、世界の二酸化炭素排出量のほとんどをしめる、世界トップ100の大企業なのだ。政府は、これらの大企業を変えるための政策を何もとっていない。わたしたちはライフスタイルを変える必要があるが、これらの企業や政府に大きく変わるよう圧力をかけつづけることも必要だ。そうすれば、かなり効果があるだろう。

＊https://www.carbonfootprint.com/calculator.aspx

ニュースがないのは悪い知らせ

多くの人が、気候危機がどれほど深刻なのかを知らない主な理由は、マスコミで報じられることがほとんどないからだ。グレタはそれを証明してみせた。スウェーデンの四大新聞にのった気候変動の記事をすべてかぞえてみたのだ。簡単だった。ほとんどまったくなかったのだから！　それなのに、環境を悪化させて気候変動を引きおこすもの、新しい車や外国での休暇などをすすめる記事は山ほどあった。

新聞のひとつが、気候変動対策を求める運動を発表しているのを見つけたとき、グレタの希望は高まった。だが、新聞をくわしく読みつづけて、ぞっとした。その新聞は、ショッピングや車や飛行機旅行などの記事に、気候危機の60倍近くものスペースをさいていたのだ！

新しいものを買ったり、休暇に旅行へ行ったりさせようとする広告がいたるところにあるのだから、人類の未来に影響をあたえる危機の真っただ中にいると人々が気づかないのも当然だ。

グレタは気候変動のことで、自分にも前向きに取りくめることがあるとわかってきた。

わたしなら、きっと地球に何が起きているのか、人々に伝えることができる。

そう考えているうちに、希望がわいてきた。ようやく答えを見つけ、今では、気候危機に直面して希望をうしなっている人にかける言葉も持っている：

幸いにも、グレタは自分にできることを見つけ、落ちこみから立ちなおることができた。

4 グレタのすごい力を発見

グレタが学校へ行かないで、両親に気候危機のことを教えるのにいそがしくすごしていたころ、両親はグレタのうつ病と食べないことをなんとかしたいと思い、いろいろな医者に相談していた。学校の心理カウンセラーが以前、マレーナとスヴァンテにグレタは自閉スペクトラム症かもしれないといっていたが、その後あらためて家族でみてもらいにいった医者のひとりが、グレタは自閉スペクトラム症だと確定した。

グレタはアスペルガー症候群だと診断された。国によって同じものにちがう言葉を使っているため、少し複雑だ。つまり、住んでいる場所によって、グレタは今と同じアスペルガー症候群と診断されたかもしれないし、自閉スペクトラム症と診断されたかもしれない。アスペルガー症候群は自閉スペクトラム症の一種だが、その言葉を使いたがらない自閉スペクトラム症の人もいる。

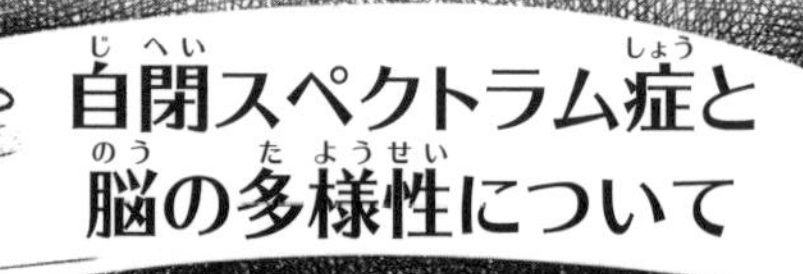

自閉スペクトラム症と脳の多様性について

脳機能が独特なため、自閉スペクトラム症の人は、ほかのほとんどの人たちとは世界をちがうように感じるんだ。

当然、すべての人の脳が同じということはない！　だが、にたようなちがいを共有している人たちがいる。自閉スペクトラム症のほかに、「脳の多様性」の例として次のようなものがある：

- **注意欠陥・多動性障害（ADHD）は、集中力がなく、じっとしていることがむずかしい。**
- **強迫性障害（OCD）は、強い不安や恐怖心から同じ行動を何度もくりかえす。**

これらの症状を同時に複数かかえる人もいる。グレタはOCDでもあると診断された。マレーナはADHDで、ベアタはADHDと特定の音に対して過剰に敏感である音嫌悪症などの症状もある。だからこそ、ベアタは音楽の才能に恵まれているのだ。このように、グレタの家族みんなの脳はとても多様だ。

自閉スペクトラム症は病気ではなく、「治る」ことはない。その人が自閉スペクトラム症かどうか、見ただけではわからない。自閉スペクトラム症の人も、そうでない人も、みなそれぞれちがうし、またADHDの人もみなそれぞれちがう。自閉スペクトラム症の人の中には、自閉スペクトラム症を障害とみなす人もいるし、ただのちがいとみなす人もいる。グレタは自閉スペクトラム症に対して独特の見かたをしている……

グレタ
@GretaThunberg
わたしはアスペルガーで、人と少しちがうところがあります。でも、ちがうということはすばらしい力にもなるのです。
#aspiepower

もちろん、自閉スペクトラム症であることには、いい点も悪い点もある。だが、一般に自閉スペクトラム症の人は：

- 正義感が強い。

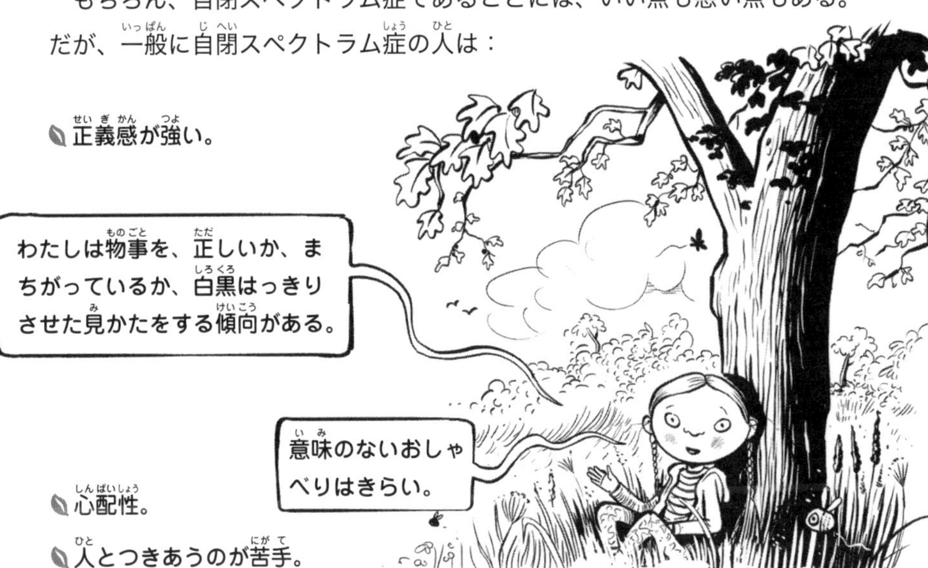

- 心配性。
- 人とつきあうのが苦手。
- 興味のあることに大変な情熱をそそぐ（グレタが何に情熱をそそいでいるかは、もうおわかりだろう）。
- すぐに何かに集中して、気をそらさずにいられる。特に自分が情熱をそそいでいることには。
- 人前でスピーチをするのが平気。自閉スペクトラム症ではない人は、人前でスピーチをすることに恐怖を感じるだろう。

音楽家、映画スター、科学者、発明家、政治家など、さまざまな職業や地位についている人の中にも自閉スペクトラム症はいる。

世の中は、自閉スペクトラム症ではない人に合わせてできているので、自閉スペクトラム症の人にとっては問題だらけだ。だが、たしかなことがひとつある。世の中には、ちがう考え方をする人々も必要だということだ。

そして、もちろんグレタもそのひとりだ。

自閉スペクトラム症ではない人は、自閉スペクトラム症の人をどう思うか

自閉スペクトラム症の人は、そうでない人と同じようには感じない、あるいは、ほかの人の気持ちがわからないのだという人がいる。それはまちがいだ。自閉スペクトラム症の人は、そうでない人と同じようには自分の感情をあらわさないだけかもしれない。自閉スペクトラム症の人はそうでない人よりもっと強く感じるかもしれないという説さえある。グレタの感情がどれほどはげしく、その感情がグレタにどれほど影響をあたえるかを、わたしたちはすでに見てきている。

世界的に有名な気候活動家になるつもりなら、自閉スペクトラム症であることはとても大きな利点であるように思える。グレタによると、人とのつきあいや遊びなどにあまり興味がないため、自分にとって本当に大切なことに思いっきり集中できるのだという。

わたしがほかのみんなと同じだったら、みんなみたいに、ソーシャルゲームにはまるとか、前と変わらない生活をしていたかもしれない。でも、わたしはみんなとちがうから、世界をちがう視点で見ている。

パリ協定

リオ・デ・ジャネイロでの地球サミット（27ページ参照）で、温室効果ガスの削減など気候変動に関しての基本的な条約「気候変動枠組条約」が採択された。その後、この条約参加国で定期的に国連会議が開かれるようになった。2015年、グレタが12歳のとき、フランスのパリでその会議が開かれた。その会議はCOP21と呼ばれており、COPは締約国会議という意味で、21は単に21回目の締約国会議だということだ。世界196か国・地域から4万人以上の代表が参加し、その中には世界で最も影響力のあるリーダーたちもいた。

各国が集まって、すべての国がしたがうべき気候変動に関する規則に合意した。

どんなことであれ、200近い国から合意を得るというのはたやすいことではない。どの国の代表者も自国の国民のために最善をつくそうとして、討論は荒れ、たった一語のことで加熱することもあり、話し合いはしばしば夜通し続いた。

グレタは強い関心を持って、会議で起きていることに注目していた。見ていて、うれしくなるような内容が多かった。200近い国が合意に達することができたというだけでも、非常に大きな進歩だったが、それ以外にもすばらしいことがあった。

- インドは計画していた新規の石炭火力発電所400基の建設をやめ、かわりに太陽光発電所を建設することになった。
- 海面上昇により最も危険にさらされる国々も参加して、要望を伝えた。

海面上昇について

気候変動の影響のひとつは、とてもはっきりあらわれている。海面が上昇するんだ。1875年ごろからすでに20㎝も上昇しているし、そのうち7.5㎝はこの25年間で起きている。

地球温暖化によって海面上昇が起こるのは、次のふたつの理由からだ。

もし何もせずにいると、IPCC（26・40ページ参照）の見積もりでは2100年までにさらに77㎝海面が上昇する。そうなると：

- 太平洋やインド洋の島々のほか、バングラデシュやオランダのような低地の国がひどい洪水におそわれる。

- マイアミ、メルボルン、東京、ベネチアなどのような海岸沿いの都市もすべて影響を受ける。
- 洪水により、何百万もの人々が住まいをうしない、動物たちは生息地をうしない、飲料水に塩がまざり、塩をふくんだ土地は作物を育てるのがむずかしくなる。

だから、気温上昇をおさえる目標について、国連が太平洋諸国の提案に同意したことはよかった。そして2016年にこのパリ協定は発効された。その結果、二酸化炭素排出をへらすために、あらゆる変化が起きるだろうとグレタは楽しみにしていた。

パリ協定発効後にも、なんの変化も起こらなければ、おそらく2030年から2052年のあいだのどこかで1.5℃の気温上昇に達するだろう。最も有力な予測は2040年に達するというものだ。

1℃のちがいで何が起きるか

0.5℃と1℃のちがいは小さくて、たいしたことではないように思えるだろう。だが、あまく見てはいけない。地球の気温は産業革命前の基準からかなり上昇しているので、あと0.5℃あがるとどうなるのか、科学者たちはよくわかっている。それは、かなりおそろしいものだ。

パリ協定発効後に、気温上昇を2℃以下におさえた場合、地球にどのような影響があるかをIPCCが調べた特別報告書がある。数十人の著者と編集者が準備に関わり、世界各国の数千人の専門家からよせられた6000以上の科学的レポートが使用された。十分な調査に基づいたものであることは、だれも否定できない。

グレタが発見したことの一部は次のとおりだ……

- **現在の状況から、あと1℃気温が上昇すると、命に関わるほどの猛暑日がふえ、森林火災や干ばつが多くなる地域がある一方、豪雨や洪水にみまわれるようになる地域もある。**

1.5℃から２℃の上昇では、動植物の生息地の多くがうしなわれる。アオウミガメを例として取りあげてみよう。卵を産む砂の温度が31.1℃を上まわると、生まれてくるカメはメスになる。砂の温度が27.8℃を下まわると、生まれてくるカメはオスになる。わかっているだろうが、アオウミガメが種をたもつためには、オスとメスの両方が必要だ。

気候状況が変わると、多くの昆虫が生息地をうしない、絶滅さえする可能性がある。人間に食料を供給してくれる植物が実をつけるためには、ミツバチやチョウのような昆虫に花粉を運んでもらい、受粉する必要がある。昆虫がいなくなったら、人間やほかの動物は飢え死にするかもしれない。

永久凍土がとけだすだろう。永久凍土には炭素がたくわえられていて、とけた氷から二酸化炭素やメタンガスなどの温室効果ガスが排出され、問題をいっそう深刻にする。

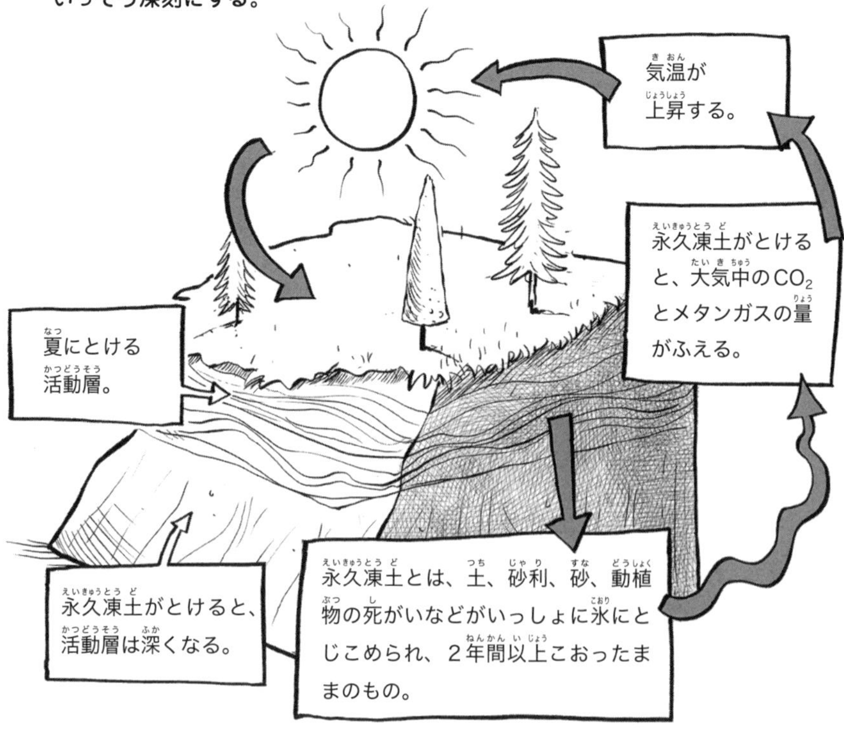

- 水中の二酸化炭素濃度があがって海が酸性化したり、温暖化のせいで海水の酸素濃度がさがると、サンゴやカニ・エビなどの甲殻類、貝類、藻類、魚は死ぬだろう。
- 猛暑による死者がふえる。また、特に貧しい国々で、多くの人が水と食料不足に苦しむだろう。気温上昇を1.5℃におさえた場合、2050年までに数億の人々の貧困をふせげることになる。

したがって、気温上昇をできるかぎりおさえることが絶対に必要だ。問題は、パリ協定の目標に達するためには、今すぐに排出量をへらさなければならないし、2070年までには0にしなければならないということだ。

5　学校ストライキ

残念ながら、グレタはひどい失望におちいりかけていた。

新しい大統領

2016年11月4日からパリ協定の効力が発生した。その5日後、ドナルド・トランプがアメリカ大統領選挙で勝利し、アメリカ合衆国第45代大統領になろうとしていた。トランプは地球温暖化に否定的な意見を持つ人だった：

また、次のようにツイートしている：

トランプは地球温暖化について、次のような主張さえしている：

トランプは石炭鉱業や化石燃料産業をあとおしすることを選んだ。これらの産業はアメリカに多くの仕事とお金をもたらすので、カーボン・フットプリントのことは気にかけなかった。トランプのいう「エネルギーの専門家」とは、化石燃料産業か、気候変動は起きていないと主張する組織とつながりのある人たちだった。

気候変動を否定するものが、今や世界最強の国のリーダーだというのは、おそろしい事実だ！　このニュースを知って、グレタはまたひどいうつ状態におちいったのではないかと思うだろう。グレタの家族も、グレタがどのような反応をするかがとても心配だった。ところが、結果が発表されたとき、グレタは気候変動を否定するものがアメリカ合衆国の大統領になったのはいいことだといって、みんなをおどろかせた！

これできっと、多くの人が目ざめて、行動を起こしてくれるもの。

トランプ大統領は化石燃料産業の支持者であることを公然と認め、温室効果ガス排出量をへらそうとはしなかった。そして、ほかのリーダーたちも、気候危機のことを気にかけているふりをしながらも、トランプ大統領と同じように、ほとんど温室効果ガス排出量をへらそうとはしなかった。地球温暖化を進めるよぶんな二酸化炭素の排出量について、中国をのぞけば、アメリカがほかのどの国よりも責任がある。だから、世界が気候変動に対して効果的に行動するためには、気候変動に対するアメリカの政策がきわめて重要だ。

2017年6月、ドナルド・トランプはアメリカがパリ協定からぬけると発表した。だが、ありがたいことに、2021年にジョー・バイデンが大統領になると、すぐに復帰した。

大荒れの気候

2017年には気候変動により、いたましい災害がいくつも起きた。世界各地で、洪水、山くずれ、はげしいハリケーンなどで数千人が命を落とした。

その後、事態はいっそう悪くなった。2018年、カリフォルニアでは森林火災により、8000平方km近くが燃えた。2019年には、数か月続いた干ばつのあと、オーストラリア東海岸で森林火災が広がり、すぐに、かつてないほどの規模の火災になり、18万6000平方km以上の土地が焼け、数千の住宅をふくむ6000近くの建物がなくなった。少なくとも34人の人と10億以上の動物の命がうしなわれた。さらに、300トンを超える二酸化炭素が放出された。

これらのできごとが気候変動によって引きおこされたとは、だれもはっきりとはいえないが、温暖化の結果、異常気象がどんどん多くなっているのはたしかだ。今では50年前の4倍も異常気象が起きている。

2017年夏、ある科学者グループが、パリ協定の目標を達成したければ、二酸化炭素排出量削減を3年以内に始めなければならないと警告した。パリ協定の目標を達成できないと、災害がつぎつぎに続けて起こり、人間は

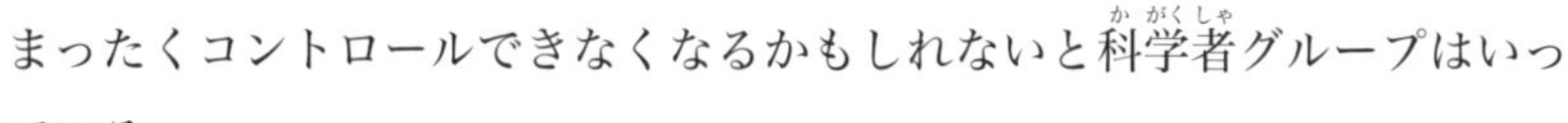

まったくコントロールできなくなるかもしれないと科学者グループはいっている。

2018年3月、国連事務総長アントニオ・グテーレスは次のようにいった：

グレタ、極地を調べる

2018年7月、グレタは暑くてつらかった。父スヴァンテと犬のロクシーとともに山の上にいたのにだ。スウェーデンのかなり北にあるヌオルジャ山にのぼり、それから、山のふもとにあるアビスコ村に滞在した。アビス

コはスウェーデンの極地研究所の拠点であり、グレタとスヴァンテは北極の気候変動についてもっと知るために、そこの教授や学生たちに会いにいったのだ。ふたりは家の電気自動車で、はるばるそこまで移動した。

スウェーデンのこの地域は北極圏内に位置しており、夏はたいていおだやかで暑くない。ところが、温暖化の影響で変わってきた。グレタがアビスコにいるときは、うだるように暑い31.7℃にまで達した。

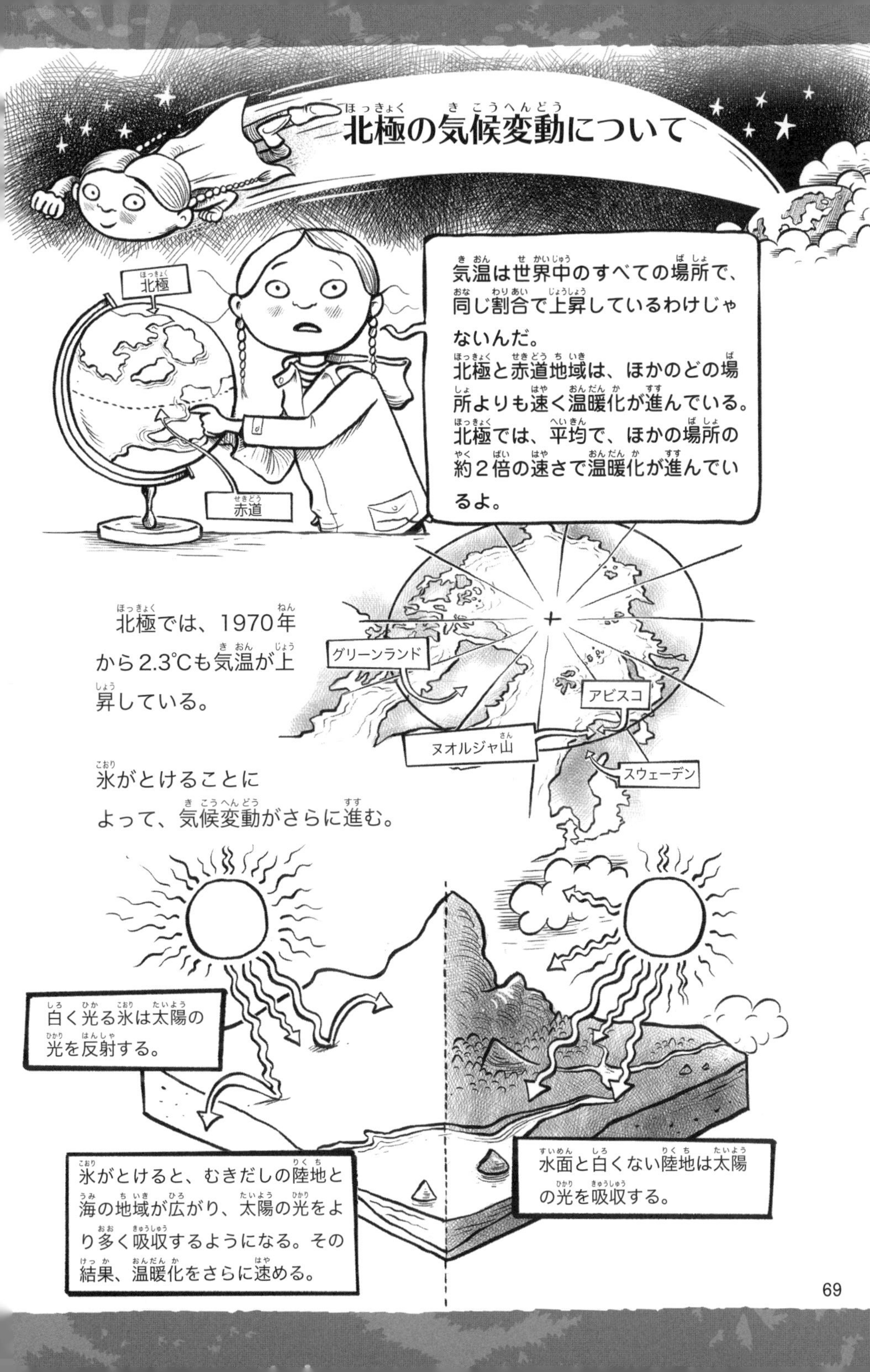
北極の気候変動について
北極
赤道
気温は世界中のすべての場所で、同じ割合で上昇しているわけじゃないんだ。北極と赤道地域は、ほかのどの場所よりも速く温暖化が進んでいる。北極では、平均で、ほかの場所の約2倍の速さで温暖化が進んでいるよ。
北極では、1970年から2.3℃も気温が上昇している。
グリーンランド
アビスコ
ヌオルジャ山
スウェーデン
氷がとけることによって、気候変動がさらに進む。
白く光る氷は太陽の光を反射する。
水面と白くない陸地は太陽の光を吸収する。
氷がとけると、むきだしの陸地と海の地域が広がり、太陽の光をより多く吸収するようになる。その結果、温暖化をさらに速める。

　海の氷は、海の生き物が生きていく上で絶対に必要なものだ。北極のイッカク、ホッキョクグマ、セイウチなどが危機にさらされている。その一方、北極の気温があがったため、今までいなかった生き物が見られるようになってきた。たとえば、アカギツネがどんどん北上してきて、小柄なホッキョクギツネを殺している。

　さらに、氷がとけることによって、人間はそれまで行ったことがない場所までに行くようになった。氷がとけたおかげで、船が行き来できるようになったからだ。

イッカクをふくむクジラ類は、コミュニケーションをとるのに水中で発する音を使う。これは、えさをとるのにも役だっている。だが、船からの騒音がこれをさまたげる。さらに、船がぶつかって死ぬクジラもいる。

北極の下には、何兆ドルもの価値がある石油や貴重な鉱物がうまっているため、大企業がつぎつぎとやってきて、それをほりだす方法をさぐっている。ドナルド・トランプは石油埋蔵量に目をつけて、グリーンランドを買いたいという申し出さえした。

グレタとスヴァンテは、気温が上昇したためにヌオルジャ山にある高山植物が消えていっていることを発見した。

50年前には、高木が生育できる樹木限界は今より230メートルも下だったが、気温上昇によりどんどんあがってきて、高木の生息場所が広がり、高山植物の生育場所がへったのだ。

下のほうでは、巨大な貨物列車がもっと北でほりだした鉄鉱石を、世界中へ輸送するために海岸へ運んでいくのが見えた。世界で最も豊かな国々が大量に消費し、車や洗濯機などの商品をつくるのに使われるのだろう。そうして、問題を悪化させ、ますます気温をあげるのだ。

ふたりが見た事実は心を重くしたが、グレタはいつもほど心配していないようだった。４人の学生と研究所のスタッフのひとりとともにハイキングをしていたとき、ランチタイムになると、みんな地面にすわって、ピクニックランチをおなかいっぱい食べだした。グレタもだ。スヴァンテはおどろいた。グレタが知らない人の前で食べたのは、約４年ぶりだった！

極地研究所の中で、ほかにもおどろくべきことが起きた。ある講義で、教授がソーラーパネル変換効率を知っているかとたずねた。生徒たちは肩をすくめ、スヴァンテはいっしょうけんめい考えた。

ロクシーはテーブルの下ですやすやとねむっていた。そのとき、グレタが手をあげて答えた。

正解だった！

教授は感心し、ほかの生徒たちも感心した。スヴァンテはおどろいて、イスから落ちそうになった。グレタが答えを知っていたからではない。人前で答えたことにおどろいたのだ。ここ何年も、家族と先生以外の人とは話そうとしなかったのだから。

行動を起こすときだ！

グレタは調子がよくなってきているようだった。それは、グレタの頭の中で、ある計画ができつつあったからだろう。グレタは長いあいだ、そのことを考えていたし、行動を起こすべきだとわかっていた。初めは、何をしたらよいのかよくわからなかったので、自分にできる最善のこと、つまり勉強を続けていた。

そして、力を持たない小さな人間でも状況を変えられると知った。実際に、そういうことがあったのだ。グレタはローザ・パークスという抗議運動を起こした女性がいることを知ると、すぐさま自分のヒーローに加えた。

グレタのヒーロー、ローザ・パークス

1955年12月1日、アメリカ、アラバマ州モンゴメリーで、ローザ・パークスは仕事を終えて、帰宅するためにバスの席にすわった。そして、歴史を変えた。ローザはアフリカ系アメリカ人だった。当時の人種分離法では、黒人席と白人席が制度上明確に分けられており、バスが混んできて白人の座席が足りなくなると、白人席を広げて黒人を立たせるのが習慣だった。

ローザが白人の乗客に席をゆずるのを拒否すると、逮捕されて罰金を科された。ローザは罰金の支払いを拒否した。

モンゴメリーのバスは黒人の乗客にたよっていた。ローザのあつかいに抗議して、黒人はだれもバスに乗らなくなった。たとえ、職場と家を往復するのに、何㎞も歩かなくてはならなくなっても、黒人たちは何㎞でも歩いた。ボイコットは381日続き、ついにバス会社が折れた。そうして、バスのその法律とそれに類似した法律は、ローザのおかげで廃止された。

グレタは、ローザが自分と同じように口数が少なくはずかしがりやだったと知ると、ますますローザが好きになった！　変化を起こすのに、大胆で外交的である必要はないのだと気づいた。ローザがしたことは簡単なことだった。「いやだ」という勇気があっただけだ。

それから、アメリカでは銃に抗議するものもあらわれた。

2018年2月14日、アメリカのフロリダ州パークランドのマージョリー・ストーンマン・ダグラス高等学校に、銃を持った男が侵入し、銃を乱射しはじめた。17人が死亡し、その多くは生徒だった。これ以前にも、アメリカでは校内での発砲事件が多くあり、若者たちはうんざりしていた。生徒たちは抗議を示すために教室を出ていき、もっときびしい銃規制を求めて、2018年3月24日アメリカ中でデモを起こした。ワシントンでは20

万をこえる人々がデモ行進した。パークランドの生徒たちは組織をつくり、集会でスピーチをした。そのうちのひとりがエマ・ゴンザレスだ。怒りをあらわにし、目になみだをためて、自分の学校で殺害された生徒の名前をあげた。それから、だまった。不安になるほど長い4分24秒間も。そして、ようやく口を開くと、「(わたしがステージに立ってから) 6分20秒がたちました」といった。それは、銃を乱射した男が犯罪をなしとげるのにかかった時間だった。たった18歳のエマのスピーチが、たちまち世界中に伝わり、大きなショックをあたえた。

エマはこの銃乱射事件のあとにツイッターを始めたが、すぐに100万人ものフォロワーを得た。

3月に若者たちによって行われたそのデモ行進は、アメリカで最大の銃規制を求める抗議運動となり、変化を起こすことに成功した。直接的な結果としては、フロリダ州で銃に関する法律が改正されはじめた。

パークランドの生徒たちの危機は、グレタの危機とはかなりちがうが、このできごとはグレタに、自分もスウェーデンで同じようなことを計画できるかもしれないと教えてくれた。グレタはすでに学校ストライキのことを両親に話していたが、両親はあまり賛成していなかった。そして、もし実行するなら、ひとりきりでストライキをすることになるだろうといった。だが、グレタはそれでやる気をうしなったりはしなかった。

父スヴァンテはグレタに、どんな質問にも答えられるように、そして、自分のいいたいことをくわしく説明できるように準備しておくようアドバイスした。グレタは自分のいいたいことをくわしく説明できるようになっていた。

2018年5月、グレタが気候変動について書いたエッセイが、スウェーデンの新聞社によって行われたコンテストで入賞した。そのエッセイで、グレタはこう書いている。

「わたしは安心したい。でも、わたしたちは人類の歴史上、最大の危機に直面していると知っているのに、どうして安心できるでしょう？」

15歳のグレタが新聞社を納得させることができたのだ。だが、ほかの若者たちに、学校ストライキに加わるようにと十分説得することはできなかった。それでも、グレタはそれほど気にしなかった。これは正しい行動だという自信があったので、自分にとってのヒーローたちに力をもらって、たとえひとりでもストライキをすると決心していた。

気候のための学校ストライキ

スウェーデンでは、夏休みが短く新学期が始まるのが早い。2018年8月20日は新学期初日のはずだった。だが、グレタは学校へは行かず、気候危機に関する参考資料と自分でつくった気候危機の事実をのせたチラシ100枚をバックパックにつめた。それから、学校の教科書（学校は休んでも、学校の勉強をしないということではない）と、べんとうと、水とうと、クッションと、パーカーも持った。そして、自転車に乗って、スウェーデンの国会議事堂リクスダーゲンへむかった。

父スヴァンテは不安な思いで、片うでに特製のハードボードを1枚かかえ、バランスをとりながら、グレタの後ろを自転車でついていった。このボードは、地元の資材センターで買って、上にペンキで簡単なメッセージを書いてあった。

スウェーデン語で「気候のための

気候のための学校ストライキ

学校ストライキ」という意味だ。

数日前に、グレタはすわりこみをするのに一番いい場所を確認しておいた。今自転車にかぎをかけ、スヴァンテからボードを受けとると、手をふって別れた。そして、橋をわたり、たったひとりのストライキを開始した。

この学校ストライキは、2018年9月7日、スウェーデン議会選挙の2日前まで続ける計画だった。

初めは、ほとんど何も起こらなかった。たいていの人はグレタを無視して、自分のいそがしい生活を続けた。足を止めて、グレタに学校へ行きなさいという女性が2、3人いた。そのアドバイスにしたがう気持ちはまったくなかったが、学校の教科書の勉強は続けていた。

そのときまで、グレタは主に大好きな犬の写真などを投稿するために、ソーシャルメディアアカウントを使っていたが、今回は、大胆にも、通行人に自分の携帯をわたして写真をとってもらって、ツイッターやインスタグラムに投稿した。フォロワーはほとんどいなかったが、うわさが広まってくれることを願っていた。

そして、影響力のある家族の友人たち数名のおかげで、実際にうわさは広まった。最初に、環境活動家のスタファン・リンドバーグがグレタの投稿をリツイートした。それから、気候に関する専門家であるパー・ホルムグレンが、シンガー・ソングライターのステファン・スンドストロームとともにあとに続いた。そのあいだに、3万人以上のフォロワーがついた。フォロワーが殺到するようになり、グレタのソーシャルメディアへの投稿は急速に拡散した。

ドキュメンタリー映画のスタッフがグレタの計画を知って、ストライキのようすを映画にしてよいかグレタにききにきた。グレタはいいと答えた。次にカメラマンが、その次は新聞記者がやってきた。これほど早く状況が変化するとは、グレタには信じられなかった。少し前までほとんどしゃべらなかったグレタだが、記者の質問に落ちついてはっきりと答えることができた。もちろん、こわかったけれど、記者にきちんと話さなければ、目的をはたすことができないとわかっていたから。くる日もくる日も恐怖に立ちむかっているうちに、それほど大変なことではなくなってきた。

学校が終わる時間の３時をすぎると、グレタはスヴァンテといっしょに自転車で家へ帰った。スヴァンテはグレタの顔を見ただけで、グレタが心からよろこんでいるとわかった。ストライキの初日なのに、すでに大きな変化が起きたのだ。

２日目には、メイソンという９年生の生徒が、グレタのとなりにすわってストライキに加わってくれた。

そのときから、グレタはひとりではなくなった。グレタはずっと学校の勉強を続け、あとは毎日、携帯で画像を１枚投稿していた。学校では、そんなことはできなかっただろう。そして、ストライキ参加者の数はどんどんふえつづけた……

ストライキ３日目には、「いっしょにストライキをしてくれる人が35人くらいになったよ！」とグレタはツイートしている。グリーンピース（50年以上も環境保護運動を行っている団体）からふたりの人がきて、サポートとビーガンヌードルひとつを提供してくれた。

父スヴァンテと母マレーナは、グレタがストライキをしているあいだ、夢中になってあまり食べていないのではないかと心配していた。だが、グレタは何もいわずにビーガンヌードルを受けとり、全部食べた。学校ストライキはグレタに魔法のような力をあたえている、とスヴァンテは思った。

毎日、参加者がどんどんふえていった。

9月7日、ストライキの最終日には、1000人以上の人がグレタといっしょに学校ストライキをしていた。

ストライキの約２週間後、ある外国の大手新聞社がグレタにインタビューを申しこみ、グレタはみごとに受け答えをした。小さな心配性の15歳の少女が世界的に有名になり、ついに自分の思いを発言できるようになったのだ。

6　グレタの反乱

2018年9月8日、学校ストライキが終わった次の日、世界中で数万の人が気候変動に対する対策を求めるデモ行進に参加した。グレタはストックホルムのピープルズ・クライメート・マーチ*に加わることにした。グレタは安全な場所からふみだし、両親がグレタにできるとは思っていなかったようなことをしようと計画していた。

デモ行進が始まる前に、2000人の人が公園に集まっていた。そして、まだこれからやってくる人たちもいた。この種のイベントとしてはかなりの人数だ。初めてデモに参加する人たちもいた。グレタの学校ストライキに刺激された人たちだろうか？

父スヴァンテは、グレタが逃げだすか泣きだすのではないかと、はらはらしながら近くに立っていた。グレタはいっしょにストライキをした仲間3人と、野外の演台に足をふみだした。グレタは言葉の力を知っており、今、大群衆の前でスピーチをすることで、その力を使おうとしていた。

テレビカメラがまわり、マイクがセットされた。

グレタは集まった人たちに、スウェーデン語で、携帯を出してスピーチの様子を録画し、あとでソーシャルメディアでシェアするよう求めた。

それから、世界中の人が話を理解できるように、英語に切りかえた。そして、いっしょにストライキをした3人を紹介すると、3週間ストライキをしたこと、これからも毎週金曜日は学校ストライキを続けるつもりであることを説明した。

特に要望はないが、自分たちはスウェーデンがパリ協定の目標を実現するまで活動を続けると語った。グレタは世界中の人々に、自分の国の国会の前で抗議運動をすることで、活動に加わってほしいともとめた。

グレタがスピーチを終えると、集まった人々は声をあげ、手をたたき、ほめたたえた。ある人がスヴァンテにほこらしいかとたずねると、「ほこらしさより、娘が元気だとわかって、もうどうしようもなくうれしい」と答えた。

＊ピープルズ・クライメート・マーチ…気候変動の解決を求めるデモ行進。

未来のための金曜日

学校ストライキは成功した。しかも、グレタが願っていた以上の大成功だった。だが、メッセージをもっと拡散していかなければならない。気候科学者たちが今後の数十年間についておそろしい予測をしているのに、たいていの人は新聞にあまり注意をはらっていないので、気候危機がどれほどのものかわかっていない。きっと、人は状況が本当にさしせまっているとは信じたくないのだろう。事実に直面するのは勇気がいるし、不安を感じることでもある。だれかが心配しなくていいといってくれたら、（グレタが考えを変えさせるまでは、グレタの両親もそうだったように）ほとんどの人がよろこんでそれにしたがうだろう。

世界はあいかわらず絶望的な危機にあるが、グレタはすばらしいことに気づいた：

グレタは次の月曜日にはふたたび学校へ行き、金曜日には国会議事堂前にもどった。いそがしかった。インスタグラムに、ストライキをする理由を説明した短いビデオを投稿すると、ハッシュタグ#FridaysForFutureと#ClimateStrikeはあっというまに拡散した。すぐに、ヨーロッパのほかの地域でも、子どももおとなもストライキをするようになり、やがて世界のほかの地域にも広がった。

二酸化炭素排出量をネットゼロにするための実際的な対策がとられるまでは、運動をやめないよ。

世界の中で、すでにネットゼロを達成している国がふたつある。南アメリカにあるスリナム共和国と南アジアにあるブータン王国だ。このふたつの国は、あまりものをつくらない小さな国で、二酸化炭素を吸収してくれる森林がとても多く、エネルギーは水力発電から得ているからだ。

2019年、イギリスとフランスは、いつネットゼロを達成するかを法律として成立させた最初の経済大国になった。どちらの国も、2050年を目標にしているといっている。イギリスとフランスが流れをつくりだし、すぐにほかの国々も排出量をへらすと約束しはじめた。ほとんどの国が、2050年までにネットゼロを達成することを目標としているが、スウェーデンは2045年達成を約束した。フィンランドは2035年、ウルグアイはすばらしいことに2030年を目標にしている。

ネットゼロを実現する計画をたてている企業もある

でも、各国が2050年までにネットゼロを達成するといっていても、二酸化炭素排出量をへらすために今すぐ行動しなければ、なんの意味もないよ。

各国が2050年までにネットゼロを達成し、世界がパリ協定の気温上昇目標に到達するためには、ただちに少なくとも二酸化炭素炭素排出量を15%へらす必要がある。だが、今のところそれは起きていない。

世界中がネットゼロになるためには、かなり大きな変化を起こさなければならない。

新しいやり方をくふうする必要がある。たとえば：

- エネルギー使用量を大きくへらせるように設計された
スマートホーム*をつくる。
- 運転しながら電気自動車に
充電できるスマート道路を
つくる。
- 数百万本の木をうえる。

＊スマートホーム…家庭内の電化製品などをネットワークでつなぎ、スマホなどでコントロールすることで節電を可能にした家。

エクスティンクション・レベリオン

気候危機に対して行動するための新しい方法を見いだそうとしたのは、グレタだけではなかった。2018年5月、イギリスでエクスティンクション・レベリオン*（略してXR）が設立された。

グレタと同じように、XRも気候危機と環境問題に注意をひきつけたいと考えている。メンバーの中には、自分たちの主張を理解してもらうためには、法律をやぶることもためらわないものがいた（ただし、決して暴力にうったえることはなかった）。XRの目的は、政府に気候と生態系の非常事態を宣言させて、二酸化炭素排出をネットゼロまでへらすようにさせることだ。グレタはXRをすばらしいと思い、このグループがロンドンのイギリス国会議事堂前を占拠して、反乱の宣言をするという計画をきくと、近づきたくてたまらなくなった。

「反乱の宣言」は、グレタの学校ストライキからそれほどたっていない、10月の終わりに計画されていた。グレタの学校ストライキのニュースは広まっていたので、もちろん、XRのほうでもグレタをすばらしいと思っていた。そこで、XRはグレタを招待してスピーチをするよう依頼した。グレタは、いずれにしても参加するつもりでいたので、この機会を絶対にのがしたくなかった。

学校ストライキの終わりにした初めてのスピーチから2か月近くがたったとき、グレタとスヴァンテは2018年のハロウィーンに間にあうようにロンドンに着いた。

おおぜいの人に話しかけるグレタは小さく見えた。後ろでサイレンがなりひびき、車の騒音がグレタの静かな声をかきけそうとしていた。そこで、グレタは1行ごとに間をおいて話し、グレタの声がきこえた人がグレタの言葉をくりかえせるようにした。そうすることで、すべての人がグレタの言葉を理解した。グレタは、自分たちは今6度目の大量絶滅の真っただ中にいるのだとうったえた。

＊エクスティンクション・レベリオン……「絶滅への反乱」という意味。

規則にしたがって行動しているだけでは、地球を救えません。反乱を起こすべきときです。
地球を救おう。
XR
今すぐ
反乱を起こすべきときだ！

6度目の大量絶滅について

地球の歴史上で起こった５度の大量絶滅は、人類がこの世にあらわれるはるか前、数百万年も前に起きた。そのうちのひとつは、恐竜を絶滅させたものだ。

科学者たちは今、６度目の大量絶滅が起きており、それは人類に責任があるといっている。気候変動、生

息地の消滅、公害、狩猟のせいで、多くの動植物を完全に死にたえさせている。

宇宙の中で、わたしたちが知っている生き物たちが住んでいるのは地球だけだ。地球上の動植物は、食料となるほか、植物の受粉、土地を健康にたもつ、気候を安定させるなど、数えきれないほど多くのことでわたしたちに必要なものだ。

それなのに、わたしたちは毎年、数千種類もの生き物を完全に死にたえさせようとしている。

絶滅は自然のプロセスだが、
今日では、本来あるべき1000倍も高い割合で起きている。

ロンドンの自然史博物館は、気候変動に対するグレタの運動にとても感動して、2019年、グレタの名前にちなんで小さなカブトムシにネロプトゥディス・グリータイ*と名づけた。

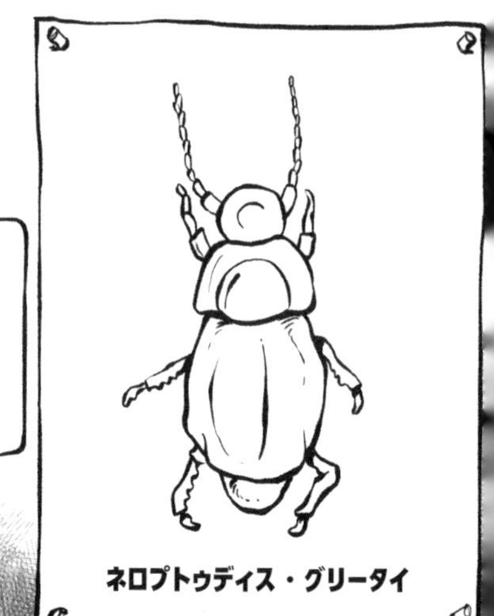

わたしたちにできること

できれば、木をうえよう。野生の生き物が庭にくるように、野生の花をうえるか、虫のためのホテルをつくろう。公共の場に野生生物保護区をつくる団体に加わろう（あるいは、つくろう）！
自分にできる方法で自然界を守ろう。

*グリータイはグレタのラテン語読み。

その後の数か月間、XRの抗議運動はロンドンでますますさかんになり、抗議者たちは多くの人の目にとまるようになった。大混乱を引きおこす目的で、列車にはりついたり、道路を通れなくしたり、石油会社の本社前や拡張計画があったヒースロー空港（ロンドンで一番大きな空港）で、抗議運動をしたりした。オックスフォード・サーカス（ロンドンの有名なショッピングエリア）の機能を停止させたことさえある。買い物客や車やバスは、ピンクのボートが道をふさいでいるのを見た！　警察がなんとかそのボートをどけるまで、５日間もそこにあった。

この抗議運動で、数百人の抗議者が逮捕された。

いっぽう、グレタは、イギリス議会で話す機会があったときに、イギリ

スが化石燃料を使っていることと、ヒースロー空港の拡張計画を非難した。そして、その拡張計画が最終的には中止になり、グレタと抗議者たちはとてもよろこんだ。

7　世界的に有名になる

グレタが初めてスウェーデンの国会議事堂前ですわりこんだ日から、数週間しかたっていなかったが、グレタは世界的に有名になっていた。グレタがスピーチをするたびに、グレタのメッセージは新聞記事やソーシャルメディアによって世界中にとどけられた。グレタは有名人がだれも気候危機のために立ちあがってくれないと、有名な歌手である母親によく不満をもらしていた。だが、今ではもうそんな不満をもらせなくなった。グレタ自身が有名人になっていたからだ。

カトヴィツェで気候変動会議

XRで最初のスピーチをしてから、グレタにはあちこちから声がかかるようになった。2018年12月、ポーランドのカトヴィツェで国連による気候変動枠組条約第24回締約国会議（COP24）が開かれることになり、グレタは、スヴァンテが運転する小さな電気自動車でそこへむかっていた。ポーランドまでは2日もかかる旅だったが、ふたりともそれだけの価値があると信じてうたがわなかった。

多くの人が人前でスピーチをすることをおそれる。それをあらわすスピーチ恐怖症という言葉さえある。だが、グレタは幸運なことに、まったく平気だった。世界中から集まった、ダークスーツを着た代表者たちが大勢いるCOP24の会議室に入っても、グレタは不安を感じなかった。自分のいいたいことを伝えられるかどうかには不安を感じていたが、自分がどんなふうに見えるかなどはまったく気にしなかった。グレタはスピーチの演台にあがり、国連事務総長のアントニオ・グテーレスに語りかけた。

気候正義について

「気候正義*」とは、フェアであるべきだということ。簡単にいうと、豊かであるほど、二酸化炭素排出に責任があるということだよ。

人間の活動のために大気中に放出される温室効果ガスの半分が、世界で最も豊かな１割の人たちによって生みだされている。世界で最も貧しい５割の人たちは、大気中に放出される温室効果ガスの１割も出していない。

気候変動に対して最も責任のない人たちが最も苦しむことになる。これは明らかに不公平だ。

＊気候正義…クライメート・ジャスティス、または気候の公平性ともいう。

これが真実であることを認め、貧しい国はしばらくの間は化石燃料を使いつづけなければならなくても、豊かな国には貧しい国よりも早く二酸化炭素排出量ネットゼロを目ざすようにさせるべきね。

カトヴィツェでの会議は２週間続いた。グレタのスピーチが世界中の数百万人の人にシェアされたのはよかったが、アメリカの代表が計画をさまたげようとしたのはよくなかった。

トランプ大統領のエネルギーアドバイザーが、各国には自分の国の天然資源を使う権利があり、アメリカは化石燃料をほりだしつづけると主張した。抗議者たちが「恥を知れ！」とか「化石燃料は地下にうまっているままにしておけ！」とさけんで、アドバイザーの声がかきけされると、グレタは思わずにんまりしてしまった。

ソーシャルメディアで、グレタは次の金曜日の気候ストライキに参加してくれるよう人々にうったえていた。そこで、グレタとスヴァンテはそれに間にあうように、大急ぎでスウェーデンにもどった。

グレタ、スイスへ行く

年が明けるとすぐに、グレタとスヴァンテは巨大なスキーリゾート地であるスイスの小さな町ダボスへむかった。ここでは1971年から毎年、世界経済フォーラム（WEF）が開かれ、世界をよりよくするための方法を見いだすことを目的として、各界のリーダーが交流している。世界で重要な政治家、実業家、科学者、芸術家たちがフォーラムに参加するが、参加は自由ではなく、招待されたものだけにきびしく限定されている。

おどろいたことに、ほとんど食べることもできず、学校でいじめられていた、小さくておとなしくて、まだたった16歳のグレタが、2019年のフォーラムへの招待状を受けとったのだ。グレタは絶対にダボスへ行くと決意した。たとえ、列車で片道32時間かかろうとも！

グレタとスヴァンテが列車から１月の雪の中におりたつと、大量のマイクにかこまれた。グレタはレポーターの質問にていねいに答え、それからふたりは宿泊先をさがしにいった。

会議の代表者たちが（化石燃料を大量に使う）プライベートジェットでひとっ飛びし、数十万円もするぜいたくなホテルの部屋を予約している一方で、グレタの宿泊先はこのようなものだった：

グレタは二酸化炭素排出量をおさえる列車で移動しただけではなく、カーボン・フットプリントをものすごく低くおさえるテントに泊まることにしたのだ！

科学者チームが、本物の探検隊用テントを使ってダボスに北極ベースキャンプを設置していた。科学者たちは、昼間はキャンプで働き、夜はそこでねる計画をたてた。WEFの代表者たちに極地の氷がとけていることを心にとめてほしかったからだ。

グレタは寝袋にもぐりこむときに、にっこり笑っている写真をソーシャルメディアに投稿した。

だが、夜はマイナス18℃まで気温がさがることもあった！　だから、グレタがぼうしとマフラーをつけたままでいたのも無理はない。

ダボスには、グレタのほかにも有名人がいた。パネルディスカッションに参加するためにきていた、歌手のボノとウィル・アイ・アムに会うことができた。だが、それよりもわくわくしたのは、ずっとヒーローとしてあこがれていた人のひとり、科学者であり自然保護活動家であるジェーン・グドールと話すチャンスが得られたことだ。

グレタのヒーロー：ジェーン・グドール

1960年、26歳のときに、ジェーン・グドールは、野生の中で人類に最も近い種であるチンパンジーの研究をするために、イギリスから東アフリカへわたった。そして、この魅力的な動物に関して世界でもトップクラスの専門家になり、現在もチンパンジーの生息地を保護し、絶滅から守るための活動をしている。ジェーン・グドールはチンパンジーの生存がおびやかされていること、チンパンジーの近くでくらしている人々のこと、また、そのほかの環境問題についてもスピーチをした。ジェーン・グドールは、チンパンジーのことだけでなく、地球を守ることにも取りくんでいるので、グレタがとても尊敬しているのもふしぎではない。

ストレートにいう

グレタは1月25日にダボスでスピーチをし、ほとんどの人が変わりないくらしを続けているあいだに進んでいる、おそろしい状況を落ちついて話した。

グレタは、地球は全人類の家だといった。そして、自分の家が火事になったら、何も起きていないかのように、のんびりすわってすごしたりはしない。立ちあがって、なんとかしようとするだろう、ともいった。

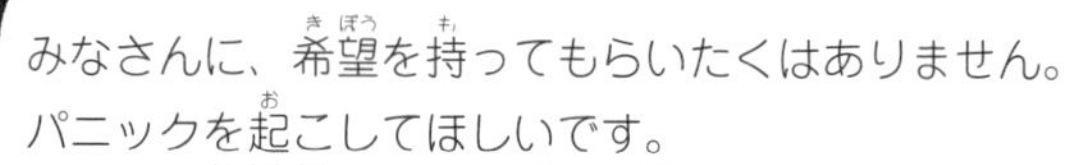
みなさんに、希望を持ってもらいたくはありません。
パニックを起こしてほしいです。
わたしが毎日感じている恐怖を感じてもらいたいです。
そして、行動してほしいのです。
危機にさらされているときにとるだろう行動をとってください。
家が火事になったときのように行動してください。
なぜなら、それと同じ状況だからです。

世界経済フォーラム
トゥーンベリ

スピーチで、グレタは巨大企業の金持ちのリーダーたちを、気候危機の責任があるとせめた。そのような人たちもダボス会議にきていたが、グレタはおそれることなく、出席している巨大企業の金持ちのリーダーたちを非難した。

世界で最も影響力のある人たちの前に立ち、そのようなことをいうのは、とても勇気のいることだ。グレタは、化石燃料をあつかう企業やほかの温室効果ガス排出に関わる企業について、そのような企業を経営する人たちは、実は、まさに地球を犠牲にして大変な金持ちになったのだと話した。会議には、ものすごい金持ちがたくさんきていたので、グレタの話の中には、その言葉にあてはまる人が何人もいた。グレタは真実をいいたかった。そして、聴衆の中にいごこちの悪い思いをする人がいたとしたら、それはいいことだった。今後、自分たちの行動について考えなおしてくれるだろうから。

スピーチをした人の中には、気候変動について楽観的に語り、よい点に目をむけようとしたものもいた。だが、グレタはそんなことはしなかった。

楽観的な見方をする人が多すぎるのも、問題のひとつだ。あれもこれもだいじょうぶだといっていたら、みんな、あれもこれもだいじょうぶなのだと思って、何も行動しなくなってしまう。グレタはダボスにきていた有名人やスーツを着たえらそうな雰囲気の人には心を動かされなかった。化石燃料の使用を終わらせるための正しい手順である、気候危機に対して対策をとろうという合意がなされていたら、心を動かされたかもしれない。だが、残念なことに、そのような合意はなかった。

数週間後、ベルギーのブリュッセルで開かれた欧州経済社会評議会で、グレタは別のおとなたちに、たっぷりと小言をいった。

グレタのスピーチは本当に力強いので、だれかに原稿を書いてもらっているのではないかと思っても当然だ。だが、そんなことはない。

本と音楽とスピーチ

グレタは、そのストレートな言葉づかいによって、多くの人に知られるようになった。2018年11月、グレタはTEDトークに招待された。TEDはTechnology Entertainment Design（テクノロジー・エンターテインメント・デザイン）の略で、あらゆること（科学、建築、ビジネス、芸術などどんな話題でもよい）についてのアイデアを広めようとしている非営利団体だ。

TEDは、自分たちがずばぬけた考えの持ち主だと思う人にトークをしてもらって、そのアイデアを広めている。16歳のグレタは、招待された人たちの中で最年少のひとりだった。グレタはトークで、なぜ学校ストライキを始めたのかを説明し、みんなに行動してくれるよう求めた。そのトークは500万回以上視聴された。

2019年5月、グレタのスピーチ集が"No One Is Too Small to Make a Difference"（変化を起こすのに小さすぎるなんてことはない）というタイトルの本になって出版された。この本で、グレタはイギリスの「2019年ウォーターストーンズ作家賞」を受賞した。

たいてい、家族の中で音楽に関わるのは母マレーナと妹のベアタだ。だが、2019年の初めに、グレタも音楽に関わることになった。

受賞歴のあるイギリスのバンドThe 1975（ザ・ナインティーン・セブンティ・ファイブ）は気候危機のことを心配しており、音楽で気候危機のことをうったえたかった。そのための曲をつくるとき、グレタほど歌詞を書くのにふさわしいものはいないだろう。そこで、グレタは歌詞にするためのエッセイを書いた。すると、The 1975はスウェーデンまできて、自分たちの曲に合わせて、グレタがエッセイを読むのをレコーディングした。

そのレコーディングはThe 1975のアルバムNotes on a Conditional Form（邦題：『仮定形に関する注釈』）の呼び物となった。

このアルバムは2020年にリリースする予定だったが、その中のグレタの曲（これもThe 1975と名づけられた）があまりにも重要なので、The 1975はもっと早くリリースしたいと思った。それで、2019年7月に発表することにした。

レコーディングから得られた収益は、グレタが望んだように、すべてXRに寄付された。

本を出版し、レコーディングをし、学校の勉強をするだけでは十分ではないかのように、2019年初め、グレタはほかのことでもいそがしかった。

グレタは、カトリック教会の首長であるフランシスコ教皇に会いに、イタリアへ行った。フランシスコ教皇は、グレタがうったえる気候危機に同意してくれていた。

教皇は、サンピエトロ広場で大観衆にむかって語りかける「謁見」を行う。そこで、グレタは教皇が気候危機について話してくれたことのお礼がいえるように、最前列にすわっていた。フランシスコ教皇はもちろんグレタのファンであり、グレタにそのよい行いを続けるようにといった。

グレタはドイツのベルリンで行われた映画テレビ表彰式とイギリスのロンドンの国会議事堂でスピーチをした。そのふたつの新たなイベントによって、学校ストライキのことがさらに広く知れわたり、それからすぐに、125か国以上で100万人以上の人たちが「未来のための金曜日」(Fridays For Future) ストライキに参加してくれるようになった。

これらのことすべてが、グレタが正式に学校を卒業する前に起こっていた！

8　北アメリカでの冒険

2019年6月、グレタはAが14、Bが3つの成績で卒業した。学校ストライキがなかったら、オールAをとれただろうとグレタは思っている。

スウェーデンでは義務教育は16歳までだ。グレタは教育を受けるのをやめようとは思っていなかったが、1年休むのも悪くないと考えた。なぜならグレタは国連から、9月にある国連気候行動サミットにまた招待されていたからだ。それは、ニューヨークで開催される！　グレタはとても行きたかった。

ニューヨークへ行き、それから北アメリカをあちこちまわって、そのあとチリのサンティアゴへ行く計画だった。サンティアゴでは2019年12月に気候変動枠組条約第25回締約国会議（COP25）が開催される予定になっていた。好むと好まざるとにかかわらず、父スヴァンテも行くことになるだろう。

しかし、いったいどうやって行ったらいいのだろう？　広大な大西洋があいだにあるめんどうな場所のため、列車や電気自動車では行けない。飛行機を使うつもりはまったくない。グレタは、ヒッチハイクをしてコンテナ船に乗せてもらうことも考えた。だが、もっとずっとよい解決方法が、信じられないような形で本物のプリンスからもたらされた。

モナコ公国公室のプリンス、ピエール・カシラギが自分のソーラー発電のヨットを使うようにと、グレタとスヴァンテに申しでてくれたのだ。しかも、プリンス、ピエール・カシラギは、ヨットだけでなく自分自身も手をかすつもりで、プロの船乗りであるボリス・ヘルマンとともに、船の船長をつとめる計画をたてていた。

マリツィアⅡ号は世界一周レース用ヨットだ。風の力をかりて帆が船を動かし、ソーラーパネルと水中タービンが明かりやラジオなどのための電気を供給する。航行は完全に二酸化炭素排出量ゼロなので、ニューヨークまで歩いていくようなものだった。ヨットは快適さよりもスピード重視で設計されていたので、二段ベッドが4つあるが、キッチンもシャワーも、

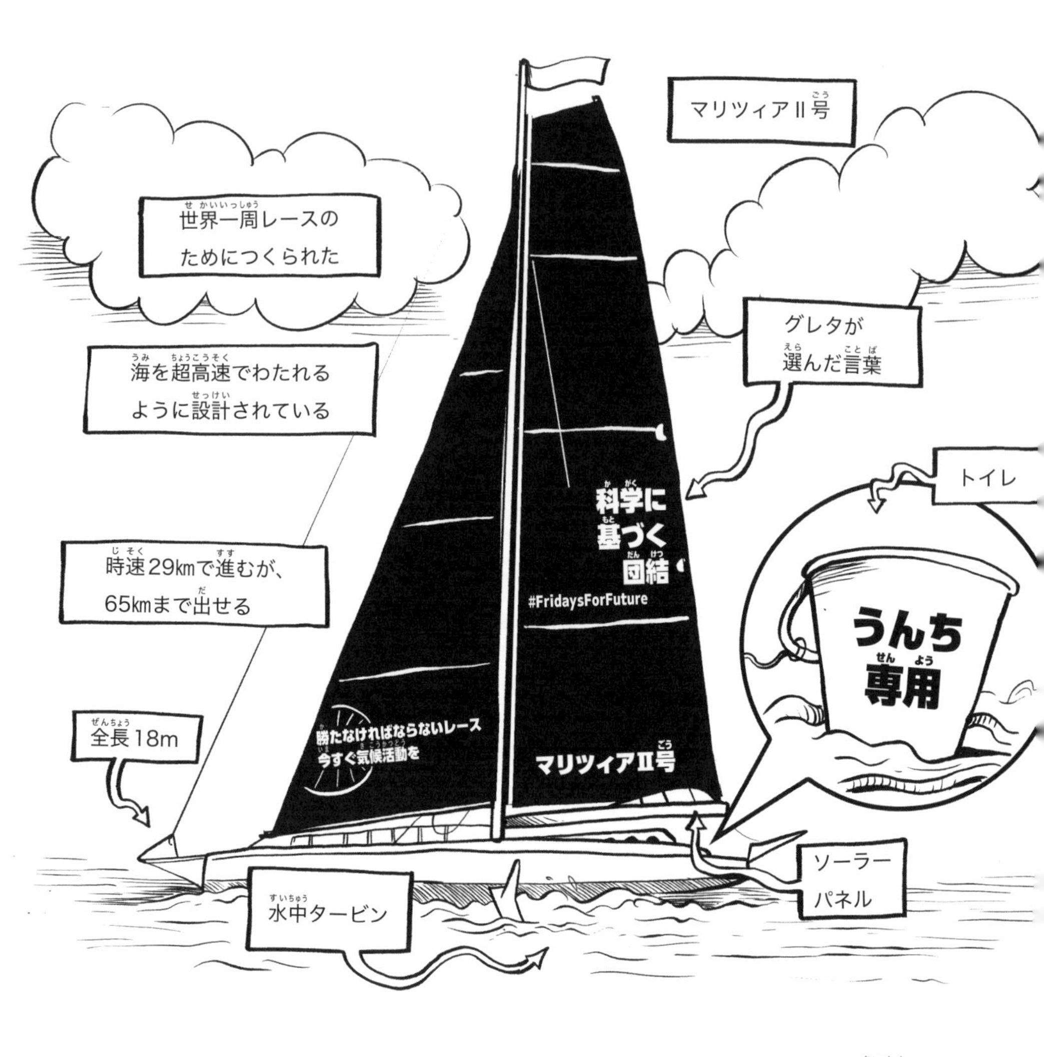

それになんとトイレさえなかった！　バス・トイレがないかわりに最新のナビゲーション装置がついている。実は、船上の科学実験室まであるのだ！

8月初め、父スヴァンテとグレタはスウェーデンからはるばるイギリスまで車で移動した。イギリスの南西部にある港町プリマスから船に乗るためだ。プリマスは、400年近く前に、アメリカへわたる最初のヨーロッパ移民たちを乗せたメイフラワー号が船出した場所だ。

グレタは8月14日に船出した。退屈をまぎらわせるために本とボードゲームを持ち、愛犬モーゼスとロクシーをなでられないさびしさをうめあわせるために、友だちからもらったうさぎのぬいぐるみを持っていた。食事はビーガン用のフリーズドライ・パッケージに、水を加えてストーブであたためたものだ。(衛星電話を使っているとき以外は) 世界のほかの場所から切りはなされていたが、グレタはそのような船上の状況は気にならなかった。イルカなどの海の生き物が見られたし、晴れた夜には星が見えた。グレタは、きれいな星空をながめているのが大好きだった。

大変な15日間だったが、ありがたいことに船よいはしなかった。そして、8月28日に歓迎会へむかった。たくさんの人がグレタをひとめ見ようと何時間も待っていた。ヨットが自由の女神のまわりを走ると、国連の17せきのヨットの船団があらわれて、マリツィアⅡ号をニューヨーク港へエスコートした。それぞれのヨットには、2030年までの国連の持続可能な開発目標（SDGs）の17の目標、病気予防のために子どもたちにワクチンを接種することやプラスチックをへらすことなどが、帆にくっきりと書かれていた。

ヨットで大西洋を横断するのは、信じられないほどすばらしい体験だった。だが、ヨットの下では、海は大変な状況にあった。

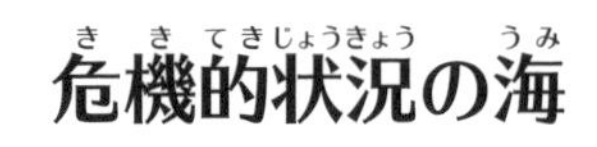

危機的状況の海

酸性の海

よぶんなCO_2のほとんどは大気中にとどまって、熱をとじこめ、地球温暖化を進めているんだ。でも、CO_2の３分の１は海に吸収されて、海を酸性にしている。

地球の生き物たちはとても微妙なバランスをたもっているので、この「酸性化」は大きな影響をあたえる。

- サンゴ礁を弱らせる。サンゴ礁は海底の２％しかしめていないが、25％の海の生き物のすみかとなっている。
- 海の中でくらす植物や魚など、すべての生き物に影響がある。
- ほとんどどんな生き物も存在できない死の海域をつくりだす。

酸性の海は、貝類を弱らせる。

その貝類を食べる生き物の食糧がへる。

プラスチックの海

5ページの、ぷかぷかういているプラスチックごみの島をおぼえている？あれは、人間がそのあとどうなるのか考えないで、プラスチックごみをすてつづけた結果だよ。

- トラック１台分のプラスチックが、１分ごとに世界中の海に到達している！　それも、海溝の底から、人のいない島の浜辺まで、いたるところに。

- プラスチックは小さなかけらにくだけていくが、なくなることはない。
- マイクロプラスチックとよばれるプラスチックのごく小さなかけらは、よごれた水がすてられるときにフィルターを通りぬけてしまうので、海へ流されていく。マイクロプラスチックは、人工素材の服を洗濯しても生じるし、化粧品や歯みがき粉にさえふくまれている！
- 海の生き物が大きなプラスチックのかけらのせいで、けがをしたり動けなくなったりすることがある。食べ物とまちがえて食べてしまうことさえあるのだ。

もうひとつ、海をおびやかすものがある。海底にうまった鉱物や金属をほりおこそうとしている企業だ。深海での採掘作業のせいで、ウロコフネタマガイが最初に絶滅の危機にさらされた種としてリストにのっている。だが最後の種になるわけではなさそうだ。

わたしたちにできること

一度しか使えないプラスチックのパッケージに入ったものは、何も買わないようにすれば、問題をこれ以上悪化させない助けになる。プラスチックのストローを使わない、何度も使えるマイボトルを持ちあるくなどするとよい。

グレタ、大統領に会う

あまりにも長いあいだ海の上にいたので、かわいた大地に足をおろしたとき、グレタはいくらかショックを受けた。足がぐらぐらしたし、都会の騒音やにおいになれなかった。だが、２日休んだだけで行動を再開した。

その日は金曜日だったので、一番大切なことは気候ストライキだった。このときは、ニューヨークの超高層ビルのひとつである、国連本部ビルの前で行った。

グレタはワシントンまで行って大統領に会った。大統領といっても、気候変動を否定しているトランプ大統領（当時）ではなく、その前任者、第44代大統領のバラク・オバマだ。オバマ前大統領は環境問題に関心があり、就任中に気候政策を準備していた。だが残念なことに、トランプ大統領はせっせとそれをくつがえしていった。バラク・オバマはグレタのファンのひとりで、グレタのことをこうよんだ：

アメリカで気候危機のメッセージを広めるのは、まちがいなくとてもたいへんな仕事だった。世界全体で気候危機を否定している人は平均約３％だが、アメリカでは、当時の大統領だったトランプもふくめて、12％にもなる。だから、グレタはアメリカで多くの人たちが感動して、いっしょに行動してくれたことにほっとしたし、とてもうれしかった。数百人の若者たちがワシントンで気候ストライキに加わり、その後、いっしょにホワイトハウスまでデモ行進をした。

ワシントンで開かれた国連会議で、グレタはスピーチをしてディスカッションに加わった。その同じ日、トランプ政権は、カリフォルニア州が車やトラックの排ガスを規制する新しい法案をつくるのをやめさせようとしていた。

気候変動を否定する人や気候変動はそれほど深刻ではないと考える人たちに、どういったらよいか

グレタは気候変動を否定する人たちに対して、かしこい答えを持っている。

よかったら、あなたもまねして使って！

そんなにひどい状況じゃない。すぐに適応できる。

とんでもない！　ものすごくひどい状況なんだ。31ページを見ればわかる。数千種の動植物が絶滅して、人々は食べ物も住まいもなくすことになって、結局、人類も絶滅してしまうかもしれないよ。

人が住んでいる場所からずっと離れたところにしか影響はない。豊かな国に住むわたしたちは気にしなくてもよい。

影響があるってば！　世界中の低地にある都市や海岸沿いの地域は、海面が上昇すると洪水にみまわれる。そうすると、人々は家をうしなったり食料や水が不足したりするから、そのせいで移民がふえて、すべての国が影響を受けることになる。

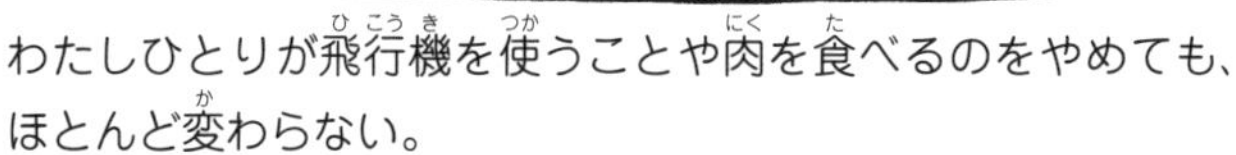

わたしひとりが飛行機を使うことや肉を食べるのをやめても、ほとんど変わらない。

本当に変わるべきなのは、企業や政府であることはたしかだね。でも、世界中にとても多くの人がいるわけだから、わたしたちふつうの人間数百万人がライフスタイルを変え、気候のために立ちあがれば、きっと変わるよ。

考えると、気がめいってしまう。気候のことなど忘れて、人生を楽しんだほうがいい。

でも、わたしたちが行動すれば、未来はそんなひどい状態にはならないですむよ。

地球の気候は時間とともに常に変化していたのだから、まったく自然なことなのでは？

そうだね。世界で今はあたたかい地域も、ずっと昔は氷におおわれていたこともある。でも、ここ200年間の気候変動はあまりにも大きくて速いから、人間の活動が影響していることはまちがいないんだ。

本当の問題は世界の人口が多すぎることだ。

ちがう。問題は、CO_2の排出だよ。97ページにあるように、豊かであるほどCO_2排出量が多い。だから、わたしたちが温室効果ガス排出を止められれば、世界の人口をへらさなくても問題を解決できる。

新しい発明や科学技術が気候危機の問題を解決してくれる。

科学者たちは、CO_2を吸収するような二酸化炭素回収技術に取りくんでいる。でも、まだできていないから、そのような技術にたよることはできないんだ。電気飛行機も、試作品があるだけで、まだ動いていない。こういったものが早くできてほしいと願うけど、すぐに発明されたり開発されたりすることはなさそう。だから、今のところ、解決方法はCO_2排出をへらすことだよ。

わたしはカーボン・オフセット*できるから、ステーキを食べたり飛行機で世界中をまわったりしてもいいだろう。

自分のカーボン・フットプリントをオフセットするために、環境プロジェクトに対して個人も企業もお金を出すことができる。そうして、飛行機を使うごとに、その分の木をうえるためのお金をはらうということだよね。でも、木をうえるためのお金をはらう上に、ステーキや飛行機もあきらめてくれたら理想的だね。

わたしの母は、カーボン・オフセットは、貧しい国の人に、あなたのかわりにダイエットさせるようなものだといっている。自分では何もしなくてもいいと考えるのはよくないよね。

*カーボン・オフセット…排出する二酸化炭素量に対して、ほかの場所で実現した二酸化炭素排出削減を購入するなどして埋め合わせをすること。

よくもまあ

グレタは、国連サミット開催まで、まだかなり時間があるうちにニューヨークにもどった。グレタがストックホルムでスウェーデンの国会議事堂前にひとりですわり、たったひとりのストライキを始めた日からちょうど1年がすぎたところだった。そのときから状況はいくらか変化していた！

今までで一番大きな学校ストライキの計画が進められ、2019年9月20日金曜日には、子どもたちと働いている人たち（初めておとなも参加するように招待された）400万人が世界150か国で行動を起こした。

ニューヨークでは、約25万人がグレタに加わった。これは、今までで一番大きな学校ストライキというだけでなく、今までで一番大きな気候変動に対する抗議行動でもあった。そして、グレタがその日の終わりにベッドにもぐりこんだときにも、まだ続いていた。なぜなら、抗議行動の群衆は、地球の反対側の午後の日差しがあたたかいオーストラリアのメルボルンでは、まだデモ行進をしていたからだ。

サミットは次の週の月曜日に開かれた。そこへ着くために大変な努力をしたので、グレタはしっかり準備ができていた。スピーチで、気候変動に対する対策がたりないことに、どれほど怒りを感じているかを話し、また、怒りがはっきりわかる話し方をした。

よくもまあ、「今までどおりに」していても、技術的にこの問題を解決できる日がくるだろう、などというふりをしていられますね……あなたたちはわたしたちを失望させています。でも、若者はあなたたちの裏切りに気づきはじめています。これからの世代の目は、すべてあなたたちにむけられているのです。だから、わたしたちを失望させる道を選ぶなら、いいですか、わたしたちは決してあなたたちを許しません。

グレタは怒った顔をしていた。実際、本当に怒っていた。グレタがいうには、家が火事になっているのに、礼儀正しくすることはない。さまざまな国がサミットで計画を発表した。だが、どれもたいした変化は起こせそうもなかった。ドイツの首相アンゲラ・メルケルが、ドイツは2038年までに石炭をほりだすのをやめると約束した。

ブラジルの大統領ジャイル・ボルソナロは、サミットに参加しようとさえしなかった。トランプ大統領は、主にインドの首相ナレンドラ・モディのスピーチを見にあらわれただけだった。トランプ大統領は、実は一度グレタとすれちがった。グレタは非常に鋭い目つきでトランプ大統領をにらみつけた。

ハリウッドのグレタ効果

グレタはバラク・オバマに会えたのはうれしかった。だが、オバマをはじめ、グレタが会った政治家たちは、きこえがいいことをいうだけで、自分から何かをしようとはしないことに気がついてきた。それなら、若い活動家たちと話すほうがずっとよかった。かれらは、よりよい未来のための運動に自分の時間をさき、言葉だけでなく実際に行動しようとしているのだから。また、あこがれている有名人たちと会うのも好きだった。

グレタは、友人であり、環境保護主義者であり、ボディービルダーかつ、映画スターで、さらには、カリフォルニア州の前知事であるアーノルド・シュワルツェネッガーと自転車で出かけた（シュワルツェネッガーは、元はオーストラリア出身で、その年の初めにふたりはいっしょにオーストラリアでインタビューを受けた）。
さらに、シュワルツェネッガーは、グレタと父スヴァンテの次の行程のために、なんと電気自動車テスラ・モデル３を準備してくれさえした！

- グレタはロサンゼルスで、俳優であり環境活動家でもあるレオナルド・ディカプリオに会った。ディカプリオはグレタと時をすごせて光栄だといい、ふたりの写真をインスタグラムに投稿した。すると、その日のうちに400万もの「いいね」がついた！
- グレタは、数百万人もの視聴者がいる、エレン・デジェネレスが司会を務める『エレンの部屋』に出演した。エレンはスタジオにいたすべての人にグレタの本をわたした。そして、おもしろい質問もした：

女優のジェーン・フォンダはグレタに会うことができなくてがっかりしていた。ジェーン・フォンダは、いつもあらゆることに抗議をしてきたが、気候危機の運動を始めたのは、グレタとグレタの気候ストライキを知ってからだった。それ以来、金曜日には抗議をするようになり、その結果、何度も逮捕された。そして、あやうく82歳の誕生日を刑務所ですごすことになるところだった！

シュワルツェネッガーが用意してくれたテスラで北へ進み、グレタとスヴァンテはカナダのジャスパー国立公園への冒険に乗りだしていた。ブリザードの中、苦労して氷河を横切っていた。だが、気候変動のため、その氷河はおそらくそれほど長くは存在しないだろう。

グレタはノースダコタ州にある先住民族保留地からも招待を受けていた。トカタ・アイアン・アイズが自分の部族ラコタのために、助けを求めるビデオ通話を初めてグレタにかけたのは、わずか12歳のときだった。ラコタ族は、1日57万バレル（9000リットル以上）もの原油を運ぶパイプラインを、かれらが住んでいる土地に通すことを提案され、それに反対して戦っていた。飲み水をよごし、土地にダメージをあたえるかもしれないからだ。グレタはトカタをものすごくかしこいと思い、ふたりでいっしょにスピーチをした。ラコタ族の人たちもグレタが好きだったにちがいない。グレタをたたえて、ラコタ語で「天からきた女性」を意味する名前をグレタにあたえたのだから。

大西洋をわたってもどる

グレタは気候変動枠組条約第25回締約国会議（COP25）に参加するために、チリのサンティアゴへ行く予定だったが、おどろくべきことが起きた。チリで起きた暴力的な反政府デモのために、会議の場所が突然、変更されたのだ。それも、海のはるかむこう側にあるスペインのマドリードに。またしても、グレタは大西洋の反対側にいた！

11月1日で、会議まで1か月ほどしかない。グレタはすぐに計画を変更して、ソーシャルメディアの力をかりることにした。ツイッターで、カーボンニュートラルな方法でヨーロッパへもどりたいとうったえた。

グレタを救ってくれたのは、オーストラリア人の夫婦、ライリー・ホワイトラムとエライナ・カラウス（それからふたりの赤ちゃんのレノン）だった。3人は船で世界中をまわっているところで、プロの船乗りニッキ・ヘ

ラ・バガボンド船上にて

ンダーソンの助けをかりて、カタマラン*のラ・バガボンドで大西洋をわたる計画をたてていた。今回は、グレタとスヴァンテはぜいたくな時間をすごせた。船には料理用設備、シャワー、トイレまであったのだ。

運の悪いことに、アメリカのバージニア州からポルトガルのリスボンへ大西洋を横断するには、時期が悪かった。大西洋を西から東へ移動する場合、たいていは、海がおだやかで嵐が少なく、追い風がふくことが多い5月か6月にする。11月にヨーロッパへもどる旅は、ニューヨークへ行ったときよりずっとたいへんだった。波は5メートルにまで達し、船をたたき、いなずまが空を切りさき、かみなりがとどろいた。今回はグレタが船よいしたのも無理はない。ぐあいが悪くないときは、グレタは：

- **食事のしたくを手伝った。食事は大量の缶詰のスープと豆とベジタリアン用ソーセージなどだ。**
- **赤ちゃんのレノンをあやした。**
- **読書をしたりオーディオブックをきいたりした。**
- **ニッキにデンタルフロスの使い方やダイスゲームのヤッツィーの遊び方を教えた。**

＊カタマラン…双胴船。ふたつの船体を甲板で平行につないだ船。

はらはらしながらも、ラ・バガボンドはなんとかマドリードでの会議に間にあうようにリスボンに到着した。そこで、たくさんの人から、車に乗っていかないかという申し出（中にはロバもあった！）を受けた。だが、旅の最後は、長旅をともにしてきた信頼できるプラカードを持って、列車で行くことにした。グレタは、海の上では３週間、たった５人としかいなかったが、マドリードでは５万人もの群衆とともに通りをデモ行進した。

グレタはCOP25でスピーチをしたとき、各国の二酸化炭素排出量をへらす約束が、実際にはいかにうまくいっていないかを強調した。事業は変わらず続いており、必要な大きな変化はまったく起きていないという事実がかくされている。政府に圧力をかけて対策をとらせる必要があった。

グレタ効果

グレタが気づいたとおり、温室効果ガスは少しもへっていなかった。それどころか、たった４年で４％ふえていたのだ！

グレタは、各国がパリ協定を実現するまで抗議を続けると決めていた。決してあきらめないつもりはなかった。

温室効果ガス排出量の増加には非常に失望したが、それでもグレタは変化をもたらしていた。2020年3月までに、世界中の7500の都市で1300万もの、「未来のための金曜日」ストライキが実行された。グレタが人々のくらし方に影響をあたえたことに対して名前もつけられた。それが、グレタ効果だ。グレタが初めて学校ストライキをしてから、気候変動に対する抗議や抗議者がおどろくほどふえたほかに、次のものもふえた：

- **新聞、雑誌、インターネット上の気候変動についての記事。**
- **特に若者から、気候に関するソーシャルメディアへの投稿。**
- **飛行機をやめて列車に乗る人。**
- **ベジタリアンやビーガンになった人。イギリスだけで、2019年4月から2020年4月までの12か月で、ビーガンの食事に切りかえた人が41万9000人いると見積もられている。**
- **二酸化炭素排出量をへらす、もしくは木をうえたり再生可能エネルギーに投資したりするための資金を出すことで、「カーボン・オフセット」する方法を求める人と企業。**

グレタはいつもみんなに投票に行くようすすめてきたが、2019年9月、グレタが実際に選挙に影響をあたえたようだ。

グレタが世界中で200万人の抗議者を集めた気候ストライキの2日後、オーストリアの選挙があり、環境保護政党「緑の党」が投票獲得数を3倍にふやした。政治家たちは、人々が投票所へ行く気持ちになったのはグレタのおかげだといった。

まだ長い道のりがあるが、ほかにもよい進展がいくつかある。たとえば、世界で最も環境汚染のひどい国のひとつである中国が、世界の電気自動車の45%を、電気バスの99%を所有している。

ほかの国のグレタたち

もうひとつのよい知らせは、気候変動対策を求める運動を行っているほかの「グレタたち」が世界中にたくさんいるということだ。1992年にセヴァン・カリス=スズキがスピーチをしてから、そのような活動をしてきた若者たちが何人かいた。だが、そのうちのだれも、グレタのような名声を得ることはなかった。

世界のほかの若い活動家たちを紹介するね。

ハウイー・オーは2019年5月、16歳のときに、中国で最初の気候変動対策を求める学校ストライキを実施した。グレタの例にならい、ハウイーは中国南部にある桂林市の人民政府ビルの前ですわりこみをした。グレタはハウイーを「本物のヒーロー」とよんでいる。

イスラ・ヒルシはアメリカのミネソタ州に石油のパイプラインがしかれるのを見て、気候変動に対する活動を始めた。16歳のときに、グレタの国際運動のアメリカ支部であるアメリカ・ユース気候ストライキを共同で設立した。

カルキ・ポール・ムトゥクはケニアでグリーン・トレジャー・ファームを設立した。そして、地球温暖化が水不足を引きおこし、人々（主に女性）が水をとってくるために長い距離を歩かなくてはならないとうったえた。この組織は、環境を守りながら持続可能なやり方で農業を行い、若者や女性とともに活動している。

ニーナ・グアリンガはエクアドルのアマゾン熱帯雨林の出身で、アマゾンを守る活動をしており、8歳のときから気候危機に関する活動をしている。

アメリア・テルフォードはオーストラリアに住んでいる。19歳のときに、シード（先住民ユース気候ネットワーク）を設立するための資金を集め、オーストラリアの先住民アボリジニーの文化と土地を化石燃料採取と気候変動から守るために、アボリジニーの環境活動家の若者たちを支援している。

リディマ・パンディは2017年、たった9歳のときに、インド政府が気候変動に対して何も対策をとらなかったという理由で裁判を起こした。インド北部のウッタラカンド州の洪水で、リディマの家族は家をうしない、5500人が命をおとした。

モンスターたち

グレタには今や世界中に友人がいた。学校ストライキを始めたばかりのころは、ツイッターのフォロワーはほんの数人しかいなかったが、今は400万人以上もいる！　だが、有名になると、必ず好ましくない注目も集めることになる。

グレタは最初の学校でいじめを経験した。だが、今のいじめは、ネット上のモンスターたちからによるものだ。そのような人たちは、たいていコンピューターの後ろにかくれて、決して面とむかっては発言しない。グレタは、そのようなモンスターたちのほうが、学校でのいじめよりあつかいやすいことがわかった。そもそも、現実の世界で顔を会わせなくてもよいのだから。また、彼らがソーシャルメディアへいやな投稿をする理由もわかっていた。気候変動が現実のものであることを理解していないせいだ。そして、グレタに意地の悪いコメントをするだけなのは、議論をするだけの正当な主張がないためだ。

グレタはお金をもらって、やらされているだけだというものもいれば、気候変動反対運動でお金をかせいでいるというものもいた。

まったくおかしな話だし、
ぜんぜん本当のことじゃない！
コメントのほとんどが、あまりにもひどい
言葉だから、本にのせられないんだ！

グレタは、有名人の母親がいたことが、モンスターたちに対処する助けになったといっている。また、ツイッターへのじょうずな返信の仕方も学んだ。アメリカの雑誌『タイム』が、グレタを2019年の「パーソン・オブ・ザ・イヤー（今年の人）」に選んだとき、トランプ大統領はおもしろくなかった。トランプ大統領もこの賞の候補にあがっていたので、とうていグレタを祝福する気持ちにはなれなかった。かわりに、次のようなツイートをした：

トランプ大統領
@realDonaldTrump

あまりにもばかげている。グレタはアンガーマネジメント（怒りをコントロールすること）に取りくみ、それから、友人と古きよき映画でも見にいくべきだ！　落ちつけ、グレタ、落ちつくんだ！

グレタは自分のツイッターのプロフィールを書きかえて、冷静に対応した：

グレタ
@GretaThumberg

アンガーマネジメントに取りくんでいるティーンエージャーです。今は落ちついていて、友人と古きよき映画を見ています。

そして、2021年1月にトランプ大統領の任期が終了すると、次のようにツイートした：

グレタ
@GretaThumberg

ドナルド・トランプは、かがやくすばらしい未来を待ちのぞむ幸せな老人に見えます。そんな姿を見られるのはうれしいことです！

　ドナルド・トランプはその同じ月にツイッターの使用を禁止された。新しいアメリカ合衆国大統領ジョー・バイデンは、就任初日にふたたびパリ協定に加わると約束した。

9　グレタの未来の計画

雑誌『タイム』のパーソン・オブ・ザ・イヤー（今年の人）は92年の歴史があるが、その歴代パーソン・オブ・ザ・イヤー中で、グレタは最も若かった。グレタが選ばれたのは、ほかの科学者、研究者、活動家ができなかったこと、つまり、人々や政府に、かつてなかったほど気候変動に注意をむけさせることに成功したからだ。

いろいろなことがあったその年の終わりに、グレタはクリスマス休暇用にBBCニュースのプログラムのスケジュールを組むという名誉をあたえられた。インタビューをする相手としてリストの最初にのせたのは、93歳の動物学者・植物学者であり、テレビの司会者でもあるサー・デイビッド・アッテンボローだった。デイビッド・アッテンボローは1950年代から自然界のドキュメンタリーを制作していたが、その最後の作品『ブルー・プラネットII』では、海の中でプラスチックがどのような被害をもたらしているかを正確に伝えて、視聴者にショックをあたえた。グレタはスカイプでしかデイビッド・アッテンボローに会ったことはないが、ふたりのどちらにとっても、それはすばらしい時間だった：

2020年2月、グレタはヒーローとして尊敬しているもうひとりの人に会った。ブリストルでの気候ストライキに参加するためにイギリスにいたので、その途中でオックスフォードに立ちよった。ノーベル平和賞の候補者に2度も選ばれたことをほこれるティーンエージャーは少ないが、グレタ・トゥーンベリとマララ・ユスフザイはティーンエージャーで2度も候補者に選ばれた（同じときではないが）。

マララは17歳のとき、最年少のノーベル平和賞受賞者となった。グレタは2019年と、やはり17歳だった2020年にノーベル平和賞の候補者となった。

グレタのヒーロー、マララ・ユスフザイ

マララはたった11歳で、故国パキスタンで女子教育について声をあげたことで有名になった。過激派組織タリバンがマララの住む町を制圧し、女子が学校へ行くことを禁止した。女子が教育を受ける権利を求める運動をしていたために、マララは15歳のとき、学校から家へ帰るバスの中で、銃を持ったタリバンに、ほかのふたりの少女とともにうたれた。マララは頭をうたれたが、イギリスの病院へ運ばれて、治療を受けて助かった。マララは今もイギリスでくらしている。

知性だけでなく、心や魂を高める教育をすることが、世界平和をもたらすただひとつの方法だと心から信じています。

グレタとマララには、少なくともふたつ共通点がある。強い信念を持っていることと、若いうちから自分のしたことで有名になったことだ。グレタはマララをお手本と思っているし、ふたりが会ったあと、マララは「初めて、学校を休んでまで会った大切な友人！」という言葉をそえて、ふたりがいっしょにうつっている写真をツイッターに投稿した。

コロナ危機

「未来のための金曜日」は、どんどん支持者をふやしていったが、突然、活動を停止しなくてはならなくなった。2020年の初めに、新型のおそろしいウイルスが世界中に広がりだしたからだ。

2020年３月、中央ヨーロッパをまわったあと、グレタも父スヴァンテも病気になった。そのころ、スウェーデンでは新型コロナウイルスに感染したかどうかをたしかめるための一般的な検査は受けられなかったが、グレタは、ふたりとも新型コロナウイルスに感染したのだと確信していた。そして、人々に政府のガイドラインにしたがうようにと注意をうながした。

ワクチンができるまで長い時間がかると予想されたため、この病気が急速に広まらないように、世界中の政府が自国の国民を新型コロナウイルスから守るための対策をとりだした。学校や事業所が休みになり、多くの人がほかの人との接触をさけるために、家で仕事をしたり勉強をしたりするようになった。

グレタは「未来のための金曜日」ストライキを中止したが、ネット上で運動は続けた。支持者たちはどこにいても、気候変動についてのポスターを持った自分たちの写真を投稿した。その数はふえつづけて、2020年4月までに、「未来のための金曜日」は1400万人近くのフォロワーを得た。

このパンデミックはおそろしいものだったが、環境にとってはよいこともあった。たとえば：

- インド北部では、大気汚染がなくなったおかげで、ジャランダル市に住む人たちは、ほぼ30年ぶりに200km近くはなれたダウラダール山脈を見ることができた。

船の通行量がへったため、イタリアのベネチアの運河の水がきれいになった。魚の数がふえて、数十年ぶりに魚のすがたを見られるようになった。

イタリアのミラノでは、交通渋滞が75％もへり、大気汚染もへった。新型コロナウイルス感染症が大流行すると、市はエンジンつきの乗り物をへらし、歩道を広げ、自転車専用道路をつくると発表した。

各国政府は、危機にさらされていると理解したら、対策をとることができた。今、ウイルスと同時に、別の危機にもさらされていることを政府は理解する必要がある。事実、その危機は進行中であり、ウイルスよりさらにひどい結果をまねく可能性もあるのだ。

簡単な解決方法はない

何があろうと、たしかなことがひとつある。わたしたちが化石燃料を燃やすのをやめるまで、グレタは運動を続けるだろうということだ。また、たとえそのときがきても、地球温暖化をできるだけふせぐためにするべきことは、まだたくさんある。政治家たちは話すのが得意だ。うまいことをたくさんいう。だが、大切なのは、実際に何をするかだ。

今のところ、世界の豊かな国には、気候変動に対してするべきことがたくさんあるが、かなりのお金がかかるという理由でなされていない。しかし、変化を起こさないでいると、将来、大きくふくらんだツケをはらわなければならなくなるだろう。ほとんどの国が、いつも自分の国の経済を成長させ、より金持ちになることばかりに、目をむけていることが大きな問題なのだ。

簡単な解決方法はないが、地球が気候危機にさらされていることを政府が認めれば、2030年までに世界をもっとよくするための方法はたくさんある。

世界をよくするために変えるべきこと
（電気飛行機がある程度の人数の乗客を運べるようになるまで）仕事にオンライン通話を利用するなどして、外国へ出張をしなくてすむ方法を考えれば、飛行機の利用をもっとずっとへらすことができる。
グリーン
ソーラーや風力を利用した再生可能エネルギーをもっとふやすことができる。これらの技術はもう以前よりずっと安くなっている。
重い税金をはらわなければならないようにすれば、企業はCO_2の排出量をもっとへらすだろう。
カフェ
道路を走る車の数をもっとへらすことができるし、政府が電気自動車の充電スタンドに補助金をだせば、もっと多くの車が電気自動車にかわるだろう。

CO_2を吸収するために、世界中に数百万本の木をうえるとよいだろう（トランプ大統領でさえ、これはよい考えだといった）。
この大きな羽根が一回転するだけで、ひとつの家庭が一日使う電気を生みだせる。
コープ
リサイクル・リユース・リセール
使わなくなったものから別のものにつくりかえて、新しい商品をつくることができる。

地球はひとつしかないし、わたしたちには
地球上の資源しかない。みんなが団結
すれば、政府を変えることができる。
あなたにも、できることがたくさんあるよ。
気候変動について科学者がいうことにいつも耳をかたむけ、ほかの人たちにもそうするようにすすめる。
企業や政府に方針を変えるようプレッシャーをかける行動に加わる。

親しい友人や家族に、気候変動対策を進めてくれる人が政権につけるように投票するべきだと話してみる。

気候危機をふせぐ助けになりそうな地域のプロジェクトに関わる。組織に加わり、「未来のための金曜日」によるグローバル気候マーチなどの抗議運動を続ける。

もう、あまり時間がないよ！

2003年1月3日 スウェーデンのストックホルムに生まれる。

2011年 学校で気候変動について学ぶ。

2011〜2018年 気候危機についてさまざまなことを知る。気候危機への不安が増してきて、2015年のCOP21のような、気候に関する国際的な出来事に注意をはらいつづける。

2018年5月 気候変動についてのエッセイを書き、それがスウェーデンの新聞社によって行われたコンテストに入賞する。
気候危機組織エクスティンクション・レベリオン（XR）が設立。

7月 北極の気候変動について学ぶために、スウェーデンの極地研究所をおとずれる。

8月20日 たったひとりで、気候のための学校ストライキを始める。

9月7日 ストライキの最終日。この時点で、1000人以上がグレタといっしょに学校ストライキをした。

9月8日 ストックホルムのピープルズ・クライメート・マーチに参加し、テレビ放送されたスピーチでデモ参加者に語りかけ、世界中の人々に抗議運動をしてほしいと求める。

9月14日 毎週金曜日の#FridaysForFuture（未来のための金曜日）ストライキを始め、すぐに世界中に広まる。

10月31日 ロンドンでXRの「反乱の宣言」でスピーチをする。

11月 TEDトークで気候危機について話す（TEDトークで最年少のスピーカーのひとりとなる）。

12月 ポーランドのカトヴィツェで開かれたCOP24で気候危機についてスピーチをする。

2019年1月25日 スイスのダボスで開かれた世界経済フォーラムでスピーチをする。そこで、ヒーローとしてあこがれていたジェーン・グドールに会う。

2月21日 ベルギーのブリュッセルで開かれた欧州経済社会評議会で、政治家たちに語りかける。

4月 フランシスコ教皇に会い、気候危機のことを話す。

4月23日 英国議会で話し、ヒースロー空港の拡張計画と英国が化石燃料を使っていることを非難する。

5月30日 グレタのスピーチ集が"No One Is Too Small to Make a Difference"（変化を起こすのに小さすぎるなんてことはない）という本になって出版される。

6月 学校を卒業。

7月 受賞歴のあるバンドThe 1975（ザ・ナインティーン・セブンティー・ファイブ）が、グレタが気候危機について話すのを呼び物とした歌をリリース。

8月14日 グレタと父親スヴァンテがソーラー発電のヨットで、イギリスのプリマスからアメリカのニューヨークへの船旅を開始する。

8月28日 グレタの乗ったヨットが、国連の17せきの船団にエスコートされて、ニューヨーク港へ入る。

9月 アメリカ合衆国第44代大統領のバラク・オバマに会う。国連会議でスピーチをする。

9月20日 それまでで一番大きな気候抗議行動：400万の子どもたちや働いている人たちが世界150か国で行動を起こした。グレタはニューヨークで約25万人とストライキをした。

10月 ロンドンの自然史博物館で、小さなカブトムシがグレタの名前にちなんでネロプトゥディス・グリータイと名づけられる。

11月 2019年ウォーターストーンズ作家賞を受賞。

11月13日 COP25の場所が、突然チリからスペインに変わる。グレタと父親スヴァンテは、オーストラリア人の夫婦とそのふたりの赤ちゃんといっしょにアメリカからポルトガルまで船で移動する。

12月 雑誌『タイム』のパーソン・オブ・ザ・イヤー（今年の人）に選ばれる（この名誉を得た人たちの中で最も若かった）。

2020年2月 同じく活動家であるマララ・ユスフザイに会う。

3月 7500都市で1300万人以上が「未来のための金曜日」ストライキをする。グレタと父親スヴァンテが新型コロナウイルスと思われる病気になる。新型コロナウイルス・パンデミックのため、直接人が集まる「未来のための金曜日」ストライキは中止するが、ネット上で運動を続ける。

9月 グレタの生活や行動をえがいたドキュメンタリー映画『I Am Greta（グレタ ひとりぼっちの挑戦）』がベネチア国際映画祭で公開される。

11月 気候変動に否定的なドナルド・トランプをやぶって、ジョー・バイデンがアメリカ合衆国第46代大統領に選ばれる。

2021年1月 グレタ18歳になる。

4月 BBCがGreta Thunberg: A Year to Change the World（グレタ・トゥーンベリ：世界を変える年）のテレビ放送を開始する。

英数字

著者 **トレイシー・ターナー**（Tracey Turner）

ノンフィクション作家、元編集者。有名な作家、画期的な発明、命にかかわる危険などをテーマに、70冊以上の子ども向けノンフィクションを執筆。パートナーと息子と一緒にイギリスのバースに住んでいる。

画家 **トム・ナイト**（Tom Knight）

イングランド東海岸を拠点とする作家、イラストレーター。絵を描いていないときは、いろいろな楽器を演奏してみたり、前庭にあるボートの修理方法を知りたいと思いながら眺めていたりする。

訳者 **飯野眞由美**（いいの まゆみ）

東京生まれ。立教大学文学部英米文学科卒。予備校やカルチャースクールで英語を教えるかたわら、翻訳も手がける。訳書に「スパイダーウィック家の謎」シリーズ（全５巻）、「NEW スパイダーウィック家の謎」シリーズ（全３巻）、「ワンダ＊ラ」シリーズ（全９巻）、『アーサー・スパイダーウィックの妖精図鑑』（以上、文溪堂）、『アメリカミステリ傑作選』（DHC出版・共訳）などがある。札幌近郊在住。

装幀：村口敬太（Linon）
カバー・表紙 写真提供：AP/ アフロ

グレタ・トゥーンベリ　みんなで止めよう！ 気候危機

2023年　2月　初版第１刷発行

著　者　トレイシー・ターナー
画　家　トム・ナイト
訳　者　飯野眞由美
発行者　水谷泰三
発　行　株式会社 **文溪堂**
〒112-8635　東京都文京区大塚３－16－12
TEL（03）5976-1515（営業）／（03）5976-1511（編集）
ホームページ https://www.bunkei.co.jp

印刷・製本　図書印刷株式会社

ISBN 978-4-7999-0458-9　NDC936　143P　216×151mm